U0906028

Yilin Classics

Alice's Adventures in Wonderland

爱丽丝漫游奇境

[英国] 刘易斯 · 卡罗尔 著

周克希 译

译林出版社

图书在版编目（CIP）数据

爱丽丝漫游奇境 /（英）刘易斯·卡罗尔（Lewis Carroll）著；周克希译．—南京：译林出版社，2023.8（2024.4重印）
（经典译林）
书名原文：Alice's Adventures in Wonderland
ISBN 978-7-5447-9694-1

Ⅰ．①爱…　Ⅱ．①刘…　②周…　Ⅲ．①童话－英国－近代　Ⅳ．①I561.88

中国国家版本馆CIP数据核字（2023）第071639号

爱丽丝漫游奇境　[英国] 刘易斯·卡罗尔 / 著　周克希 / 译

责任编辑　刘自然
装帧设计　孙逸桐
校　　对　王　敏
责任印制　单　莉

出版发行　译林出版社
地　　址　南京市湖南路1号A楼
邮　　箱　yilin@yilin.com
网　　址　www.yilin.com
市场热线　025-86633278
排　　版　南京展望文化发展有限公司
印　　刷　南京新世纪联盟印务有限公司
开　　本　890毫米×1240毫米　1/32
印　　张　5
插　　页　4
版　　次　2023年8月第1版
印　　次　2024年4月第3次印刷
书　　号　ISBN 978-7-5447-9694-1
定　　价　29.00元

爱丽丝·利德尔，七岁时。(1859年，卡罗尔摄影)

爱丽丝三姐妹。(左)艾迪思、(中)罗莉娜、(右)爱丽丝(1859年,卡罗尔摄影)

译出好玩来

——代译序

1862年一个“金灿灿的下午”，牛津大学腼腆的数学讲师查尔斯·勒特维奇·道奇森(Charles Lutwidge Dodgson)和学院院长的三个女儿泛舟野餐，同行的还有一位年轻讲师鲁滨逊·达克沃思(Robinson Duckworth)。在波光粼粼的河面上，道奇森给三个小女孩讲了一个即兴编出来的故事。故事的主人公叫爱丽丝，这正是三姐妹中老二的名字，当时她十岁(故事中的她更小些，才七岁)。道奇森有些口吃，说自己名字时会说成“Do-do-dgson”，所以他就成了故事中的渡渡鸟(Dodo)，达克沃思自然就成了鸭子(Duck)。

这个奇妙的故事让三个小女孩听得入了迷。回家以后，爱丽丝还缠着他，要他把故事写下来。道奇森答应了她的要求。两年半后，在1864年的圣诞节，道奇森拿出一本绿色皮面的笔记本，里面是他用工整的字体抄写的故事，他把这个笔记本作为礼物送给了爱丽丝。后来，一个偶然的机会使这个手抄本受到了出版商的青睐。于是，道奇森用刘易斯·卡罗尔的笔名写的这本《爱丽丝漫游奇境》出版问世了，并在时间的长河中历久弥新，成了儿童文学的经典之作。

这部经典最大的特点，也许就是它的好玩，或者说它的无厘头。这个特点带来了翻译的难度，要译出这种让人眼前一亮、忍俊不禁的趣味，确实并非易事。有一种译法是抠着字眼“忠实”译出，然后加脚注，说明这个词、这句话好玩在哪里。这种方法的缺点是读者被弄得很累，因而阅读也就变得不怎么好玩了。另一种译法，是当初赵元任先生提倡并身体力行的，那就是尽力用中文直接传达原文的好玩之处。举个例子，英文中tale是故事，tail是尾巴，两个词发音相同，作者借此玩了个文字游戏：老鼠说自己的故事（tale）很长，爱丽丝却以为它是说尾巴（tail）很长。这段文字的一种译法是，老鼠说：“我的身世是个很长的故事，而且很悲惨。”爱丽丝听老鼠说完以后，看着他的尾巴说：“嗯，是很长啊，但悲惨在哪里呢？”然后加上脚注，对摸不着头脑的读者解释原文的妙处。赵元任先生的译本，却让老鼠说：“我的身世又长又委屈。”用“委屈”和“尾曲”来模拟原文中的谐音。这样做虽说还是有些牵强，难以让读者体会原作中信手拈来、浑然天成的妙趣，但它毕竟为后来的译者开出了一条路。我愿意步赵先生的后尘，在这条艰难而有趣的路上努力前行。

这样的努力，有时会有一些自己觉得比较满意，甚至感到小小得意的结果，但不满意的地方往往更多。（上面说的“故事”和“尾巴”，就是一例。我对自己的译法并不很满意，总感到似乎有个令人拍案叫绝的译法藏在哪个地方，但我寻寻觅觅就是找不到。）

译出好玩来，真是知易行难。但我相信以后会有年轻的译者，把这本好玩的书译得更好玩——这是必需的！

CONTENTS · 目录

卷首诗

在那金灿灿的下午，
　　我们去河上泛舟；
几双小手用力划桨，
　　船儿却没个准头，
几只小手东指西点，
　　小船还是晃晃悠悠。

哦，三个小家伙可真忍心！
　　梦幻般的时刻如此美妙，
她们还偏要听个轻松故事。
　　轻啊，要轻到吹不动羽毛！
可怜我只有一张嘴，
　　怎能抵挡三个人一起鼓噪？

老大喜欢发号施令，
　　要求也直截了当："开始！"
老二声气很柔和，她想听

　　“有点无厘头的故事”！
话最多的是老三，
　　故事不完，她插嘴不止。

一会儿，忽然静了下来，
　　三个女孩听得出了神，
跟随梦中的女孩漫游
　　新鲜奇妙的荒野之境，
自如地跟鸟儿和野兽交谈——
　　仿佛这一切都能当真。

可是，想象终有枯竭的时候，
　　故事总会越讲越少，
疲倦的讲故事人弱弱地
　　想卖关子按下不表：
“留到下一次——”
　　“现在就是下一次！”
快活的声音嚷道。

奇境的故事讲了一段又一段。
　　她们听得津津有味。

离奇有趣的情节编了又编——
　　现在总算有了结尾，
大家开开心心向家里进发，
　　沐浴着夕阳的余晖。

爱丽丝！请用你柔软的小手
　　将这给孩子的故事把玩，
让它和记忆的神秘缎带
　　系住的童年之梦相伴，
有如远方漫游归来的旅客
　　带回的凋谢的花环。

第一章　跳进兔子洞

爱丽丝和姐姐一起坐在河边；老这么坐着，又没事可做，她开始觉得厌烦了。她朝姐姐正在看的书瞥过一两眼，可是那上面既没有图画，也没有对话。她心想："一本书没有图画和对话，那有什么好看的？"

于是她在心里盘算（尽她所能呗，天气这么热，她只觉得倦意袭来，脑子也迷糊了），做一个雏菊花环的乐趣，值不值得她起身去采那些雏菊。忽然，一只粉红眼睛的白兔从她身边跑过。

这没什么可大惊小怪的，即便是听见那兔子在嘀咕"哎哟！哎哟！我要迟到了！"，爱丽丝也没觉得有什么奇怪（事后想起来，她倒是觉得她应该觉得奇怪的，可当时一切都好像十分自然）。但是，当那兔子当真从背心口袋里掏出一只表看了一眼，然后匆匆而去的那会儿，爱丽丝蓦地站了起来，一个念头突然从她脑子里闪过，那就是她从没见过一只兔子穿着背心，还能从背心口袋里掏出怀表来看的。她的好奇心蹿了上

来，就跟在它后面奔去，穿过一块空地，刚好看到它跳进树篱下面一个挺大的兔子洞。

爱丽丝跟着跳了进去，想也没想以后究竟怎么爬上来。

这个兔子洞，起先的一段笔直往前，有点像条坑道，随后陡地往下伸去，爱丽丝还没来得及想一下怎么停住，她就掉进了这个深井似的兔子洞里。

或许是洞很深，也或许是她下落得很慢，反正她一边往下掉，一边有足够的时间打量周围的情况，还可以猜想接下去会发生什么事情。首先，她低头往下看，想弄明白自己到了什么地方，可是下面太暗了，什么也看不见。然后她就看四周，只见到处是碗柜和书架，不时还能见到一些挂在钉子上的地图和画片。她经过一个书架时，顺手拿下一个大口瓶，上面贴的标签是“橘子酱”，但里面是空的，她真是失望极了。她没有把瓶子随手扔掉，生怕那样会砸死下面的人，她很灵巧地把它放在了下落时途经的一个碗柜里。

“好呀！”爱丽丝心想，“像这样往下掉过一回，从楼梯上摔下来就不算什么事了！家里人肯定会觉得我特勇敢！可不，哪怕从屋顶上摔下来，我也会一声不响！”（这倒是很有可能的，那样摔下来，自然不会声张。）

掉啊，掉啊，掉啊。难道就这样永远掉个不停了？“不知道这会儿已经下落多少英里了，”她大声说，“十有八九已经落到地心附近的什么地方了。我想想，那应该是离地面四千英里，我想——”（可不是，爱丽丝在学校里学过一点这方面的知识，虽说这会儿显摆这点知识不算特别合适，因为没人在听，可是权当练习一下也好。）“没错，大概就是这个距离——那么，我此刻所在的纬度和经度又是多少呢？”（爱丽丝其实根本不明白纬度和经度是什么意思，不过她觉得这两个词儿说起来挺酷的。）

一会儿她又在想了：“不知道我会不会正好穿过地球！从头朝下走路的人群中间钻出来，那多好玩啊！好像是叫对拓[①]——”（这回她挺高

① 她想说“对跖”，念了别字。原文中，爱丽丝是把antipodal（对跖）说成了字形相近的antipathy（不相容）。这种类似文字游戏的笔墨，在本书中并不少见。以下的译文中，视情况而定是否详细注明原文。

兴没人在旁边听她说话，因为这么念听起来就不对劲儿）“——对了，我得问问他们那个国家叫什么名字。请问，夫人，这儿是新西兰还是澳大利亚？”（她一边说一边想行个屈膝礼——真滑稽！在往下掉的时候行屈膝礼！你们想想你们能做到吗？）“她听我这么问，准会觉得我是个什么都不懂的小丫头！不行，绝对不能问。说不定我会看到它写在什么地方的。”

掉啊，掉啊，掉啊。老是这么往下掉，没什么别的事可做，爱丽丝就又大声说起话来了：“今天晚上黛娜会很想我的，肯定会的！”（黛娜是那只猫。）“但愿他们喝下午茶的时候，别忘了给她一碟牛奶。黛娜小宝贝！我真希望你在这儿陪我一起往下掉！掉下去的半道上大概不会有老鼠，但你说不定可以抓只蝙蝠，蝙蝠挺像老鼠的不是吗。可是，猫会不会吃蝙蝠呢？”说到这儿，爱丽丝的睡意浓了起来，她神志恍惚地往下说：“猫会吃蝙蝠吗？猫会吃蝙蝠吗？”说着说着，有时候就说成“蝙蝠会吃猫吗”。因为你们知道，反正两个问题她都回答不上来，到底问哪个问题就无所谓了。她觉得自己打起瞌睡来了，迷迷糊糊地看见自己手牵手和黛娜一起在走，于是她急巴巴地问：“行了，黛娜，你快给我说真话，你到底吃不吃蝙蝠？”就在这时，忽听得砰砰两声，她摔在了一堆树枝和枯叶上面，坠落终告结束。

爱丽丝一点也没受伤。她一骨碌爬了起来，抬头往上看，但是上面黑黢黢的什么也看不见。她面前是另一条很长的通道，可以看见白兔仍在急匆匆地赶路。一会儿也耽搁不得：爱丽丝像阵风似的往前奔去。就在白兔要拐弯的当口，正好赶上听见它说："哦，我的老天爷啊，已经这么晚了呀！"她转过拐角时还紧跟在白兔后面，可是一转眼工夫，白兔竟然不见了。她发现自己是在一个长长的、低矮的门厅里，悬在天花板上的一排灯幽幽地照亮这个门厅。

门厅的四周都有门，但全是锁上的；爱丽丝从一扇门走到另一扇门，每扇门都试了一下，可是一扇也打不开。她沮丧地走到门厅中央，不知道怎样才能走出去。

忽然，她看见一张厚玻璃做的三条腿的小桌子。桌子上放着一把小小的金钥匙，别的什么也没有，爱丽丝的第一个念头就是：它可能就是这门厅里某一扇门的钥匙。可是，糟糕！不是锁太大，就是钥匙太小，试来试去一扇门也没打开。爱丽丝决定再试一遍，这一回她发现了一个刚才没注意到的矮矮的帘子，帘子后面有一扇大约十五英寸高的小门。她把小金钥匙插入门锁，惊喜地看到门锁开了。

爱丽丝打开门，发现它通向一条很小的、比老鼠洞大不了多少的通道。她跪在地上，从通道里看出去，看见一个非常非常漂亮的花园。这么漂亮的花园呀，你们都没见过。她多想离开这个昏暗的门厅，漫步在鲜花盛开的花圃和水珠清冽的喷泉中间啊！可是这扇小门，她连头都钻不过去。"就算我的头勉强钻了过去，"可怜的爱丽丝心想，"没有肩膀，这个头也派不了什么用场。哦，我要是像望远镜一样能伸能缩就好了！我想我应该能的，只要知道怎么开头就行。"你们想呀，刚才一下子就发生了那么多匪夷所思的事情，还有什么事情能让爱丽丝觉得是不可能发生的呢？

在小门跟前干等，看来是没有用的，于是她回到桌子旁边，心想说不定能在上面找到另一把钥匙，或者至少是一本教她怎么像望远镜一样伸开缩拢的手册。这一回她在桌子上找到了一个小瓶子（"刚才它肯定没在桌子上。"爱丽丝对自己说），瓶颈上系了一张标签纸，上面印着两个漂亮的大字:“喝我。”

“喝我”! 说得倒轻巧,聪明的小爱丽丝可不会轻易就这么做哟。“不行,我得先看一下,”她说,“看看上面有没有写着‘有毒’。”因为她读过几个很有意思的小故事,故事里的小孩不是烫伤了,就是被野兽吃掉了,还有其他一些不愉快的事情,原因都是他们不肯记住大朋友教他们的几个简单的规则,比如说,烧红的拨火棍不能拿在手里时间太长,否则你会被烫伤,还有,如果你用刀在手指上用力划一下,手指就会流血。还有一件事她始终没有忘记,那就是如果你喝了标明“有毒”的瓶子里

的东西,那你几乎肯定会感到不舒服,最多只是早点晚点罢了。

不过,这个瓶子上并没有标明“有毒”,所以爱丽丝壮着胆子尝了一口,觉得味道还挺好的(其实那是一种樱桃馅饼、蛋奶冻、菠萝、烤火鸡、太妃糖和热的黄油吐司混合在一起的味道)。一会儿工夫,她就把它喝完了。

* * *

“这感觉好奇怪哦!”爱丽丝说,“我一准是像望远镜那样在收拢!”

还真是这样:她现在只有十英寸高,这样的大小正好能进小门;想到可以进那个漂亮的花园了,她的脸变得容光焕发。不过且慢,她得先等几分钟,看看自己是不是还在缩小,对此她稍有些不安。“你得明白,”爱丽丝对自己说,“说不定我会一直缩到底,就像蜡烛烧尽一样。真不知道那会儿我是什么样子。”她试着想象火苗在蜡烛烧尽后的模样,因为她实在不记得见过这种情形。

过了一会儿,她看到没有发生什么变化,就决定马上进入花园。但是,可怜的爱丽丝真够倒霉的!她走到门前,发现忘了带小金钥匙,就回到桌子跟前去取,谁知道她已经够不到那么高了。透过玻璃能清楚地看见钥匙,她使劲想从一条桌腿爬上去,可是玻璃太滑了。爬了几次,可怜的小家伙再也爬不动了，一屁股坐在地上哭起来。

“够了，哭有什么用！”爱丽丝狠巴巴地对自己说，“我劝你马上停住！”她平时常会给自己一些很好的告诫（虽然极少照着去做），有时候甚至会臭骂一顿，把自己骂哭。她记得有一次自己和自己玩槌球游戏时（这个古灵精怪的女孩特别喜欢扮成两个人）作弊，她扇了自己两个耳光。“现在，”可怜的爱丽丝心想，“两个人是扮不成了！这不，我就剩这么点儿，当一个像模像样的人都勉强咯！”

忽然，她的目光落在了桌子底下一个小玻璃匣子上。她打开匣子，发现里面有一块很小的蛋糕，上面用茶藨子很漂亮地拼出“吃我”两个字。“好吧，我来吃吃看，”爱丽丝说，“如果吃下去会变高，我就可以拿到那把钥匙；如果吃了会变小，那我也可以从通道里钻出去。所以不管是变大还是变小，我都能进得了花园。反正怎么样都行，我才不在乎呢！”

她吃了一小口，焦急地问自己：“是变大了，还是变小了？”她一只手放在头顶上，好知道自己到底是在往上长，还是在往下缩。让她感到大为惊奇的是，她仍然是老样子。当然啦，平时任谁吃蛋糕，都是这个情形；可是爱丽丝已经有点习惯了，老想着会发生匪夷所思的事情，所以看到一切如常、没出怪事，反而觉得生活太没劲、太无聊了。

于是她大口大口吃了起来，很快就把蛋糕吃光了。

第二章　泪水池塘

“越来越怪事了！[1]越来越怪事了！”爱丽丝嚷道（她实在太惊讶了，所以一时间忘记怎样好好说话了），“现在我就像世界上最大的望远镜那样伸了开来！再见了，我的脚！”（她低头看双脚时，只见它们很远很远，远得仿佛看不见了。）“哦，我可怜的双脚。现在有谁还能为你们穿鞋子、穿袜子呢，亲爱的？反正我是不能了！我离你们实在太远，没法照料你们了，你们好自为之吧——”“不过，我还得善待它们才是，”爱丽丝思忖说，“否则，说不定我要往这儿走，它们偏要

① 情急之下，爱丽丝把“越来越奇怪了！”说成了不合规范的“越来越怪事了！”，原文中她是把 more curious 说成了不合语法的 curiouser。

往那儿走呢！让我想想，我得每年送它们一双新靴子。”

她继续寻思这件事该怎么做。“当然得邮寄咯，”她想，“但是给自己的脚寄礼物，这可真够滑稽的！收件人的姓名、地址，看上去都会怪怪的！”

火炉围栏旁

炉前地毯上

爱丽丝的右脚先生 收

爱丽丝 敬赠

“哎哟，我在说些什么傻话呀！”

就在这时，她的头碰到了门厅的天花板：要知道，她这会儿已经高过九英尺了。她赶紧拿起小金钥匙，急忙打开通往花园的小门。

可怜的爱丽丝！无论她怎么折腾，最多也只能做到侧身躺在地上，勉强用一只眼睛瞄上一眼那个花园。要想进去，眼看是更没指望了。她坐在地上，又哭了起来。

“你真该为自己感到难为情，”爱丽丝对自己说，“你已经是个大姑娘了，还这么哭鼻子！我要你马上停住不哭！”她这么说倒也不算错，可是她就是停不下来，眼泪源源不断地往下流，好几加仑的泪水积聚在她身旁，形成一个泪水池塘，大概有四英寸深，漫过了半个门厅。

过了一会儿，她听到远处传来嗒嗒的脚步声，她马上擦干眼泪，看看是怎么回事。原来是那只白兔又来了，这回他穿得很体面，一只手捏着一副白色的小山羊皮手套，另一只手拿着一把大扇子。他急匆匆地一路小跑，离得稍近些时，还能听见他嘴里念念有词："哦！公爵夫人，公爵夫人！哦！我让她等我了，她是要发脾气的呀！"爱丽丝身处绝境，正准备见人就呼救呢。于是，当白兔跑过她近旁时，她怯生生地轻声喊道："对不起，先生——"白兔猛地一惊，扔下白色小山羊皮手套和扇子，拔腿就跑，很快消失在了黑暗之中。

爱丽丝捡起扇子和手套。厅里很热，她说下面这些话时，不停地扇着扇子："哟！今天怎么样样事情都怪怪的！昨天都还挺正常的嘛，会不会是我在夜里变了个人？让我想想，今儿早晨起来那会儿，我真就是原来那个我吗？我好像觉着，我还能记得感觉是有点儿不一样。可是，倘若我不是原来的我，那么下一个问题就是——'我到底是谁呢？'啊，这可是个伤脑筋的大问题！"于是，她开始逐个排查她认识的那些跟她同龄的孩子，看看自己是否可能变成其中的某个孩子。

"我肯定不是艾达，"她说，"她的头发长长的，打着卷儿，我的头发一点也不打卷儿。我也肯定不会是梅布尔，因为我什么事情都懂，而她，

哦,她差不多什么都不懂！何况,她是她,我是我,而且——哎哟,我的脑子都给搞糊涂了！我来试试,看我是不是还知道以前知道的事情。来吧：四乘五等于十二,四乘六等于十三,四乘七呢,等于——哎哟！照这样下去,我怎么也算不到二十！不过,反正乘法表也说明不了什么。我来试试地理吧。伦敦是巴黎的首都,巴黎是罗马的首都,罗马是——不对,全都乱套了,肯定都错了！我准是变成梅布尔了！我来背背看《瞧那小小的——》。”她像背课文时那样,双手交叉放在腿上,开始背诵那首小诗,可是声音又哑又怪,好些地方都背得走了样儿：

瞧那小小的鳄鱼
　　甩动闪亮的尾巴,
搅得尼罗河水涌起
　　泼向金灿灿的鳞甲！

他咧开嘴笑容可掬,
　　伸出爪子透着机灵,
游过来呀小鱼小鱼,
　　进我肚子无限欢迎！

“我知道自己背得都不对，”可怜的爱丽丝说着，眼眶里又噙满泪水，“说到底我就是梅布尔，我得去住在那个小破屋里，身边的玩具少得可怜，还有，哦，还有那么多功课要学！不行，我下定决心了：如果我是梅布尔，我就一直待在洞底下！他们劝我也没用，他们把头伸下来说：‘上来吧，亲爱的！’我就抬起头来说：‘那么我到底是谁？先把这个人是谁告诉我。’然后，如果我喜欢自己变成那个人，我就上来，如果不喜欢，我就仍然待在洞底下，直到我变成另一个人为止——呵！”爱丽丝突然泪如雨下地喊道：“我多希望他们能把头伸下来啊！我一个人在这儿真的待不下去了呀！”

她说这话的时候，低头看了看自己的手，不由得大吃一惊，原来刚才她说着说着，竟然把白兔的小山羊皮手套戴在了一只手上。“我怎么会戴得上的呢？”她暗自思忖，“我一定是又变小了。”她立起身来，走到桌子边上去量身高，发现自己果然猜得不错，她现在只有大约两英尺高，而且还在迅速缩小。她很快弄明白了原因，问题就出在她拿着的那把扇子上。她赶快扔掉扇子，及时阻止了一缩到底的悲剧发生。

“好险哪！”爱丽丝说，突如其来的变化着实让她受了一番惊吓，不过她庆幸地发现自己还安然无恙，“现在可以去花园了！”她回过头来全速冲向那扇小门。可是，唉！小门又关上了，小金钥匙跟先前一样躺在玻璃桌子上。“情况越来越糟糕了，”可怜的爱丽丝心想，“以前我还从来没有这么小过,从来没有过!我可真的要说,这太糟糕了,简直糟透了!"

正这么说着,她脚下一打滑,刺溜一下跌进了齐脖子深的咸水里。她的第一个念头是掉进了海里。"那样的话,我可以乘火车回家。"她对自己说。(爱丽丝长这么大,只去过一次海边,并由此得出一个具有普遍意义的结论,就是你无论到英国海岸的哪个地方,都会看到海边有些更衣车,沙滩上有些孩子在拿木铲挖沙,然后有一排住房,房子后面有个火车站。)不过,她很快就明白,她是在身高九英尺时流下的眼泪聚成的泪水池塘里。

"我要是没哭得那么厉害就好了!"爱丽丝一边划水想游出去,一边说,"我想我这是在遭报应,要淹死在自己的眼泪里了!那可真是一桩怪事,真的很怪哟!反正,今天什么事都怪怪的。"

正在这时，她听见不远的地方传来哗的一下溅水声，她游过去想弄明白那是什么东西。起先她以为那是一头海象或河马，但很快就看清了只不过是一只像她一样滑进池塘的老鼠。

“现在去跟这只老鼠说说话，”爱丽丝想，“不知道会不会有用。这洞底下样样事情都这么稀奇古怪，我想它很可能会说话。反正试一下总没错。”于是她开口说：“哦老鼠，你知道怎么从这个池塘出去吗？我在这儿游来游去，游得很累了，哦老鼠！”（爱丽丝心想，跟老鼠说话想必就该是这样的。这事儿她以前从没做过，不过她记得在哥哥的拉丁语课本上看到过“老鼠——老鼠的——给老鼠——一只老鼠——哦老鼠！”）那只老鼠好奇地望着她，有只小眼睛好像还眨巴了一下，不过它没作声。

“也许它不懂英语，”爱丽丝想，“我猜它很可能是法国老鼠，跟征服者威廉一起过来的。”（要知道，爱丽丝的历史知识很有限，对某件事究竟发生在多久以前，她并没有清楚的概念。）于是她说：“Où est ma chatte？[①]”这是她的法语课本上的第一句话。老鼠猛地跳出水面，看上去吓得浑身都在发抖。“哦，对不起！”爱丽丝赶紧喊道，生怕伤到了这可怜的小动物的感情，“你不喜欢猫，我把这茬儿给忘了。”

“不喜欢猫！”老鼠情绪激动地尖声喊道，“如果你是我，你会喜欢猫吗？”

① 法文：我的猫在哪儿？

“嗯，恐怕不会，”爱丽丝安慰他说，“请别为这事生气。不过我挺想让你见见我的猫咪黛娜。我相信你只要见了她，就会喜欢猫咪了。她又可爱又安静，”爱丽丝一边在池子里不紧不慢地游着，一边自言自语似的往下说，“她爱坐在壁炉边上轻轻地打呼噜，喜欢舔爪子给自己洗脸——把她抱在怀里，软乎乎的甭提有多舒服了——她逮耗子也是一把好手——哦，对不起！”爱丽丝又喊了起来，因为这次老鼠全身的毛都竖了起来，她心想他是真的动肝火了，“如果你不喜欢听，我们就不说她了。”

“我们！什么叫我们！”老鼠大声喊道，气得尾巴都在发抖，“难道我愿意说这种事情吗！我们家族向来讨厌猫：这些粗俗、下流、卑鄙的东西！别让我再听到这个名字！”

“一定不说了！”爱丽丝说，她急于换一个话题，“你是不是——是不是喜欢——嗯——狗呢？”见老鼠没作声，爱丽丝就一口气往下说，“我们家附近有条非常可爱的小狗，我挺想让你见见它！一条眼睛亮亮的小猎犬，哦，你知道吗，它咖啡色的鬈毛又长又卷！它会把你扔掉的东西衔回来，会坐在后腿上向你讨东西吃，还会做好些别的事情——我连一半都说不上来——它的主人是个农场主，你知道吗，那个主人总是夸它能干，抵得上一百英镑！那主人说，有了它，老鼠就都死光光了——哦，天哪！”爱丽丝用一种表示哀痛的语气喊道，“恐怕我又惹他生气了！”老鼠根本不搭理她，只管拼命从她身边游开去，扑腾得池水四处乱溅。

爱丽丝跟在后面柔声叫他：“亲爱的老鼠！请你回来吧，我们不再说猫，也不说狗了，我知道你不喜欢它们！”老鼠听她这么说，转过身来，慢慢地朝她游回来。他脸色煞白（是气成这样的，爱丽丝心想），颤抖着低声说：“我们游到岸边去吧，我把我的故事讲给你听以后，你就会明白我为什么要恨猫和狗了。”

现在也是该走的时候了，因为池塘里已经挤满了不小心掉进来的鸟儿和小动物：一只鸭子、一只渡渡鸟、一只小鹦鹉、一只小雕，还有几个奇形怪状的小动物。爱丽丝领头，大家一起向岸边游去。

第三章　转圈跑和长故事

他们聚在岸上，看上去怪模怪样的——鸟儿耷拉着浸湿的羽毛，小动物皮毛紧贴在身上，一个个都湿淋淋的，滴着水，憋着气，浑身不自在。

首要的问题当然是把身上弄干。于是大家开会商讨这件事。几分钟后，爱丽丝就发现自己跟他们说得挺热络的，她觉得这是再自然不过的事，仿佛她早就认识他们似的。这不，她跟小鹦鹉争了好半天，最后小鹦鹉绷着脸，甩出一句“反正我比你年纪大，自然比你懂得多”。爱丽丝不知道他到底有多大，仍然不依不饶。但小鹦鹉断然拒绝说出年龄，所以也就没有什么可说的了。

最后老鼠发话了，他看上去在大家中间有点威望。他大声说：“大家都坐下，听我说！我一会儿就让你们又干又燥！”大家马上坐了下来，围成一个大圆圈，让老鼠待在中间。爱丽丝焦急地盯着老鼠看，她觉得自己如果不赶快弄干的话，肯定要感冒了。

“嗯哼！”老鼠很神气地清了清嗓子说，“都准备好了吗？我知道的故事当中，这个是最干巴巴、最枯燥的，确确实实是又干又燥。现在请你们保持安静！‘且说征服者威廉的征战得到教皇支持，很快便使英国人臣服于他，因为英国人需要领袖人物，加之连年来篡位、征伐不断，他们已习惯于此。默西亚及诺森伯利亚的伯爵埃德温和莫尔卡——’”

“阿嚏！”小鹦鹉打了个哆嗦。

“怎么啦？”老鼠皱起眉头，但语气依然很客气地问，“你说什么来着？”

“我没有说话！”小鹦鹉赶紧说。

“我以为你说了，”老鼠说，“我们继续。‘默西亚及诺森伯利亚的伯爵埃德温和莫尔卡宣称效忠于他；就连斯蒂冈德，那位富有爱国情怀的坎特伯雷大主教，也发现它不失为明智之举——’”

“发现什么？”鸭子问。

“发现它，”老鼠没好气地回答说，“你当然知道‘它’是什么意思。”

“当我发现一样东西的时候，我的确知道‘它’是什么意思，”鸭子说，“它通常是一只青蛙，或者一条蚯蚓。现在问题是，大主教发现什么了？”

老鼠不去理会这个问题，急忙往下说：“‘——发现同埃德加·艾瑟林一起去面见威廉呈上王冠，不失为明智之举。威廉的反应起初尚属适

度。但是那种诺尔曼人的傲慢无礼——’你现在觉得怎么样，亲爱的？”老鼠转过脸去问爱丽丝。

“还跟以前一样湿，”爱丽丝郁闷地回答，“我听了这干巴巴的故事，好像一点儿也没变干。”

“鉴于此种情况，”渡渡鸟一本正经地站起身来说，“在下提出动议，要求休会并立即采取更为有效之措施——”

“好好说话！”小雕说，“这种弯弯绕绕的话，我连一半都听不懂。再说嘛，我相信你自己也不懂！”小雕说着，低下头掩着嘴偷笑。旁边几只鸟儿却忍不住笑出了声。

“我刚才要说的是，”渡渡鸟有点不高兴地说，“我们要弄干自己，最好的办法是举行一次转圈跑。”

“什么叫转圈跑？”爱丽丝问。她这么问，并不是真想弄明白转圈跑是什么意思，而是因为渡渡鸟刚才打住了话头，好像觉得应该有人会发言，而看上去谁也没打算说什么。

“嗨，”渡渡鸟说，“最好的解释办法就是示范。”（说不定到了冬天，你们也会想要试试，所以我现在就告诉你们渡渡鸟是怎么做的。）

他先画出一条跑道，有点像个圆圈（“画得圆不圆没关系。”它说），然后大家随意排列在跑道上。没有“一、二、三，跑！”的指令，谁想跑了就可以跑，想停了就可以停，所以很难知道比赛什么时候结束。反正大家跑了半小时左右，身上就已经干了。这时渡渡鸟突然宣布：“比赛结束！”大家气喘吁吁地聚在他身边问：“到底是谁赢了？”

要回答这个问题，渡渡鸟先得有个思考时间，他用一根指头抵在前额上（你们平时在画像上看到的莎士比亚，就是这个姿势），站了很久，大家静静地等在旁边。最后渡渡鸟开口说：“每个人都赢了，人人有奖。”

“那么谁来颁奖呢？”大家异口同声地问。

“那还用说，当然是她咯。”渡渡鸟用一根指头指着爱丽丝说。大家立即把她团团围住，七嘴八舌地嚷道：“颁奖！颁奖！”

爱丽丝不知该怎么办，情急之下把手伸进口袋，没想到居然掏出了一盒糖果。（幸好盐水没有渗进去。）她就分发糖果作为奖品，一人一颗，正好分完。

“我说，她自己也应该有个奖品吧。”老鼠说。

“当然，”渡渡鸟很严肃地回答，“你的口袋里还有什么东西？”他转过头来问爱丽丝。

“只有一个顶针箍了。”爱丽丝伤心地说。

“拿过来。”渡渡鸟说。

大家再次团团围住爱丽丝，渡渡鸟神情庄重地颁发顶针箍，说道：“我们请求你接受这枚雅致的顶针。”这个简短的致辞结束以后，大家齐声欢呼。

爱丽丝觉得整个事情非常荒唐，可是大家看上去都那么严肃，所以她没敢笑。她想不出有什么话可说，就鞠了个躬，尽量显得很一本正经地接过那个顶针箍。

接下来就是吃糖果，这多少引起了一些喧闹和混乱。大鸟抱怨说根本没尝到味道，小鸟却吃得噎着了，得帮他们拍拍后背才了事。最后总算吃完了，大家重新围成一圈坐下，请老鼠再给大家讲点什么。

“可不是，你说过要把你的故事讲给我听，”爱丽丝说，“告诉我你为什么讨厌——喵和汪[①]。”最后三个字她说得声音很轻，生怕又会惹老鼠生气。

---

① 爱丽丝是想说“猫和狗”，但怕老鼠生气，就怯生生地说了“喵和汪”。原文中，此处为“C and D”，隐指“Cat and Dog”。

“我的故事很长，又很伤感，你且听我娓娓道来。”老鼠转脸向着爱丽丝，叹了口气说。

爱丽丝不明白什么叫“尾尾到来”，看了看老鼠的尾巴（没有两根啊！），心里挺纳闷。接下去听老鼠讲他的故事时，她还在想着这个问题，所以故事给她的印象有点像这样：

弗里在屋里踱步，
正好碰上只老鼠。
“咱俩得去趟法庭，
我打算告你一状。
你想逃也没用，
我就喜欢诉讼。
跟你说句实话，
今早我正闲得
不知干啥。”
老鼠回答
这条癞皮狗：
“伙计你看，
没有陪审团，

也没有法官，

这种庭审

如同儿戏。”

“陪审团

和法官

我来包，”

弗里开腔

耍无赖，

“整个案子

由我操办，

我就要

把你

判成

死罪。”

“你没专心听！”老鼠对爱丽丝说，口气很严厉，“你在想什么？”

“对不起，”爱丽丝怯生生地说，“我在想，你拐五个弯了。”

“弯你个头！”老鼠生气地尖声喊道。

“噢，弯我的头！”爱丽丝知道自己应该做个听话的孩子，“我这就弯头。”

“谁要你弯头啦!”老鼠说着,站起身拔腿就走,“你说这种无聊的话,是对我的侮辱!”

“我没想侮辱你!”可怜的爱丽丝辩解说,“你为什么这么容易生气呢?”

老鼠愤愤不平地哼了几声,没有回头搭理她。

“请你回来讲完你的故事吧!”爱丽丝在他背后喊道。大家也都应和说:“是啊,来把故事讲完吧!”可是老鼠不耐烦地摇了摇头,走得更快了。

“他不肯留下来,真是太可惜了!”眼看老鼠走得快看不见了,小鹦鹉叹气说。一只老螃蟹抓住这个机会对女儿说:“瞧见了吗,亲爱的!你该从中吸取教训,千万别发脾气!”“你闭嘴,老妈!”小螃蟹急躁地说,“你话这么多,就算我是牡蛎,也要忍无可忍了!”

“要是黛娜在就好了,我真希望她在这儿!”爱丽丝大声说,但并没对着任何人,“她立马会把他逮回来!”

“恕我冒昧地问一下,黛娜是谁?”小鹦鹉说。

说到自己的宝贝猫咪,爱丽丝就来了劲儿,于是她热心地回答说:“黛娜是我的猫咪,她是逮耗子的一把好手!哦,我真想让你看看她追着鸟儿跑的模样!嘿,她见到小鸟就把它一口吃掉!”

这番话当即引起一阵骚动。有几只鸟儿立马开溜。一只老喜鹊小心翼翼地裹紧羽翼说:“我真的得回家了,夜晚的空气对我的嗓子不好!”一只金丝雀声音颤抖地招呼她的孩子们:“我们走吧,宝贝！时间差不多了,你们该上床睡觉了!”大家用各种不同的借口纷纷离去,不一会儿就只剩下爱丽丝一个人留在那儿了。

“我要是不说黛娜就好了!”她郁闷地自言自语,“在这儿好像谁都不喜欢她,可是我敢说,她是世界上最好的猫！哦,亲爱的黛娜！不知道我还能不能再见到你!”说到这儿,可怜的爱丽丝哭了起来,因为她觉得非常孤独、非常沮丧。但过了一小会儿,她又听见稍远处传来嗒嗒的脚步声,她赶紧抬起头来,指望是老鼠改变了主意,打算回来讲完他的故事。

第四章　兔子送上小比尔[①]

那是白兔。他慢腾腾地小跑而来，一路上焦急地四下张望，好像是丢了什么东西。爱丽丝听见他低声自语："公爵夫人！公爵夫人！哦，我的天哪！哦，我的老天爷啊！她会把我处死的，一百个肯定！哎哟，我到底把它们掉在哪儿了呢？"爱丽丝马上猜到了，他是在找那把扇子和那副山羊皮白手套。她天生是个热心肠，于是就帮他一起找，可是到处都找不到——自从她在池子里游泳过后，似乎一切都变了，门厅啊，玻璃桌啊，小门啊，全都消失得干干净净。

兔子很快注意到了东张西望找东西的爱丽丝，气呼呼地对她喊道："喂，玛丽·安，你到这儿来干什么？马上跑回家去，给我拿一副手套、一把扇子来！快，立马！"爱丽丝吓了一大跳，拔腿就朝他指的方向奔去，

---

① 当时客人购物后，商家有时会在账单上写"某某商店送上一张小账单(... sends in a little bill)"，以示幽默。此处Bill是一只小蜥蜴的名字，作者当然是在用大小写的不同做文字游戏。

都没想到要解释一下这个误会。

“他把我当成他的女仆了，”她一边跑，一边对自己说，“等他弄清楚了我是谁，他会多么吃惊啊！我最好还是去给他把扇子和手套拿来——我是说，如果我能找到的话。”刚说到这儿，她看见面前有一栋整洁的小房子，门上有一块亮晶晶的铜牌，刻着“白兔”两个字。她没敲门就进了屋，快步走上楼梯，生怕碰上真的玛丽·安，还没找到扇子和手套就被赶了出去。

“多奇怪啊，”爱丽丝心想，“居然给一只兔子当差！下次说不定黛娜也要差遣我做事了！”她开始设想可能出现的场景：“‘爱丽丝小姐！赶快过来，你得去散步了！’‘马上就来，奶妈！可我得守住这个洞不让老鼠出来，等黛娜回来呀。’不过我想，”爱丽丝继续想，“黛娜真要像这样支使人了，爸爸妈妈他们是不会让她留在家里的！”

这时她已经到了一个很干净的小房间里，窗台下面有一张桌子，桌上（果然不出所料）放着一把扇子和两三副很小的山羊皮白手套。她拿起扇子和一副手套，正要离开房间，忽然瞥见镜子边上有一个小瓶子。这回瓶子上没有“喝我”的标签，但她还是拔了瓶塞，把瓶子凑到嘴唇边上。“我知道每次我吃了或者喝了什么东西，”她对自己说，“肯定会发生一些有趣的事情。这次我倒要看看这个瓶子有多大能耐。但愿它能让我重新变大，说实话，老是当这么个小不点儿，我实在受不了啦！”

事情果真这样发生了，而且进展之快大大出乎她的意料：刚喝下半瓶，她就发现自己的头顶住了天花板，要不是弯腰曲背地站着，脖子一准会折断。她赶紧放下瓶子，对自己说："这已经够了——我希望别再长高了，要不然我没法从房门出去了——我真不该喝这么多！"

唉！后悔已经来不及了！她还在长高长大，长呀长呀，很快就不得不跪在地板上。再过一会儿，就连这样也不行了，她只好试着躺下来，用一个胳膊肘顶住门，另一条手臂屈起来抱着头。但她还在长，她的最后一招，是把一条手臂伸出窗子，一只脚搁在壁炉烟囱上。她对自己说："接下去不管发生什么情况，我都再也没有办法了。天知道我会变成什么样子哟！"

算她走运，小瓶子的魔力这会儿用光了，她不再长高长大了。但就这样，她也还是很不舒服。再说，眼看想从这个房间出去没辙了，她闷闷不乐也是在所难免的。

“还是在家里开心，”可怜的爱丽丝想，“不会老是一会儿变大一会儿变小，也不会让老鼠和兔子差来差去。我真有点后悔进兔子洞了——不过——不过——这种经历确实挺奇妙的！我真想知道还会发生什么事情！以前看童话故事，我总以为那种事情是永远不会发生的，可是现在，我就在童话当中了！应该有本写我的书，应该有！等我长大了，我自己写一本——可我现在已经长得很大了，”她的语调变得很伤心，“至少在这儿已经没地方再长了。”

“那么，”爱丽丝想，“是不是我就一直是这个年纪，不会变老了呢？这一方面是好事——不会变成老太婆——可是另一方面——就一直要读书做功课了！哦，那我可不喜欢！”

“哦，你真傻，爱丽丝！”她自己回答自己，“你怎么可能在这儿读书做功课呢？这不，连你的人都要放不下了，哪儿还有地方放课本呀！”

她就这么一会儿是一方，一会儿是另一方，煞有介事地模仿两个人在对话。可过了没几分钟，她听见外面有声音，就停住嘴仔细听。

“玛丽·安！玛丽·安！”那声音喊道，“马上把手套给我拿来！”接着楼梯上传来一阵嗒嗒的脚步声。爱丽丝知道是兔子来找她了，吓得浑身发抖，一直抖到房子晃动起来——她忘了自己现在比兔子大一千倍，根本不用害怕他了。

一会儿兔子来到了门前，想要把门打开，可是，门是往里开的，而爱丽丝的胳膊肘抵住了门，所以兔子再怎么用力也打不开门。爱丽丝听见他自言自语："我绕到那边，爬窗进去吧。"

"这你也办不到！"爱丽丝心想，她等在那儿，等到觉得听见兔子走到窗子下面了，突然伸出手去，在半空中猛抓一把。她没抓住什么东西，但听见一声细细的尖叫，紧接着是有个东西落下去的声音，然后是玻璃

破碎的声音。她心想，兔子准是落在种黄瓜的温室或者别的什么暖棚上了。

接着传来一个愤怒的声音——是兔子的声音："帕特！帕特！你在什么地方？"然后是一个她以前没听到过的声音："还不是在这儿吗！在挖苹果呢，老爷！"①

"挖苹果！有什么好挖的！"兔子气呼呼地说，"快过来帮我从这鬼地方爬出去！"（又是一阵玻璃碎裂声。）

"告诉我，帕特，窗子里是什么东西？"

"是条胳巴呗，老爷！"（他把胳膊说成"胳巴"。）

"一条胳膊，你傻呀！有谁见过这么大的胳膊吗？整扇窗都被它塞满了！"

"可不，是塞满了，老爷。可它就是条胳巴呗。"

"反正它不该搁在那儿。你去把它挪开！"

接下去是一段长时间的寂静，爱丽丝只是偶尔听见几句低语声，比如说："可不，我也不喜欢它呗，老爷！真的不喜欢，真的！""照我说的做，你这胆小鬼！"爱丽丝等得不耐烦，又伸出手去在半空中抓了一把。这一回只听得有两下细小的尖叫声，还有好些玻璃碎裂的声音。"这儿

---

① 法文中土豆叫Pomme de terre，此处按字面的意思逐字译出来，就是"地下的苹果"。不知作者此处的"挖苹果"是否在玩这个文字游戏。

种黄瓜的温室好多啊！”爱丽丝心想，“不知道他们接下去会干什么！我巴不得他们能把我拉出窗子呢！我真的不想再待在这儿了！”

她等在那儿，有一阵子没听见任何声音。最后总算传来了小推车的辘辘声，还有好多人一起说话的嘈杂声。当中的有些话她听出来了：“还有一架梯子呢？——噢，我只带了一架梯子，还有一架在比尔那里——比尔，你这小子，把梯子拿来！——来，把它架在这个角上——等一下，得先把它们缚在一起——缚在一起也够不到一半高呢——哦，应该差不多了。别穷讲究——喂，比尔，接住绳子——屋顶吃得住分量吗？——当心那块松动的瓦片——哦，它掉下去了！下面当心头！（瓦片碎裂声）——是谁干的？——我想是比尔——谁来钻烟囱？——哦，我不行！你来吧！——那我也不行！——让比尔下去——喂，比尔！主人说了，让你从烟囱爬下去！”

“哦！这么说比尔只好爬下来喽？”爱丽丝对自己说，“嘿，他们好像把样样事情都推在比尔身上！我可说什么也不愿当比尔。这个炉膛真够窄的，不过我想我还能踹上一脚！”

她把在烟道里的那只脚尽可能缩回来，等了一会儿，听见一个小动物（她猜不出那是个什么动物）在烟道里抓爬的声响离自己头顶越来越近了，她心想：“是比尔。”随即猛地踹出一脚，等着看接下去会发生什么事情。

首先她听见好几个声音一起喊道："比尔出来了！"接着是兔子单独的声音："树篱那边的人，接住他！"然后是沉默，再然后又是七嘴八舌的嘈杂声——"托住他的头——把白兰地拿来——别让他呛着——嘿，伙计，怎么样了？刚才是怎么回事？快给我们讲讲！"

最后是一个虚弱、短促的声音（"这是比尔。"爱丽丝心想）："哦，我也不明白——够了，谢谢；我现在好多了——我实在是心慌意乱，没法儿告诉你们——我只知道有个弹簧玩偶似的东西，猛地朝我敲过来，然后我就像火箭一样飞了上去！"

"像火箭，没错，伙计！"其他人说。

"我们得把这房子烧掉！"是兔子的声音。爱丽丝使足劲儿大声喊道："你要是这么干，我就让黛娜来咬你！"

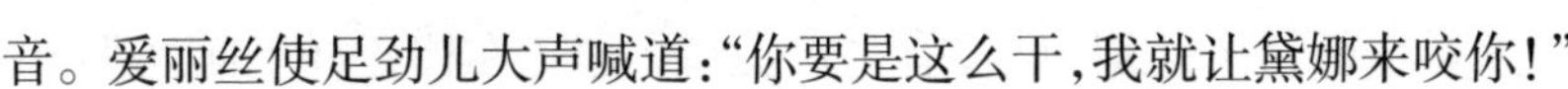

一阵死一般的寂静。爱丽丝心想："不知道他们下一步会怎么做！他们如果头脑清醒的话，会把屋顶掀掉的。"过了两三分钟，他们又开始走动了，爱丽丝听见兔子在说："先弄个一车够了。"

“一车什么?”爱丽丝暗自思忖。但容不得她多想,雨点般的小石子从窗口泻进来,其中有几颗打在了她的脸上。“这样可不行。”她想,随即大声喊道:“你们给我住手!”接下来又是一阵死一般的寂静。

爱丽丝不无惊奇地发现,小石子落到地板上都变成了小蛋糕,她脑子里灵光一现:“要是我吃一个蛋糕,我的身量一准会有某种变化;既然它不可能让我变大,看来它一定会使我变小咯。”

她一口吞下一个蛋糕,欣喜地发现自己即刻就缩小了。等缩到可以通过房门的当口,她马上奔出屋子。到了外面一看,只见包括鸟儿在内的一大群小动物在等着她。可怜的小蜥蜴比尔被围在中间,两只豚鼠扶住他的头,用一个瓶子喂他吃东西。他们看见爱丽丝出来,马上朝她冲上去,爱丽丝拼命逃跑,不一会儿就安全到达了一片浓密的树林里。

“我要做的第一件事,”爱丽丝一边在树林里转悠,一边想,“是恢复到原来的大小;第二件事呢,是找到去那个可爱的花园的路。我想这是个最好的计划。”

没错,这听起来是个极好的计划,既明确又简单。唯一的困难在于,对于怎样执行这个计划,她没有一点头绪。她正在往树林里四处张望,忽然头顶上方传来一声轻轻的狗叫声。她赶紧抬起头来。

一只体形庞大的小狗瞪着圆圆的眼睛往下看着她,胆怯地伸出一只爪子,想要抓她。“可怜的小东西!”爱丽丝用安抚的口气对它说,还一个

劲儿地朝它吹口哨。可是她心里却怕得要命，心想万一它肚子正饿着，那不管她怎么哄它，它还是很可能会吃掉她的。

也不知怎么一回事，她捡起一根小树枝，朝小狗伸过去。不料小狗马上开心地尖叫一声，四脚离地跳了起来，扑过来像是要撕咬这根树枝。爱丽丝躲到了一棵大蓟后面，免得被它撞倒。她刚从大蓟另一侧探出头去，只见小狗再一次朝树枝冲去，它慌忙之中没能抓住树枝，自己却来了个倒栽葱。这时爱丽丝心想，自己挺像在跟拉车的辕马玩耍，随时有可能被踩在脚下，于是她又躲到了大蓟后面。小狗却接二连三向树枝发起冲击，每次都往前跑很短一段距离，却往后退很长一段距离，还不停地哑着嗓子吠叫，到最后，它坐倒在很远的地方，伸出舌头大口喘气，两只大眼睛半闭着。

爱丽丝觉得这是逃跑的好机会。她拔腿就跑，一口气跑了好多路，累得上气不接下气，小狗的叫声也远远地听不大清了。

“可那真是只可爱的小狗！”爱丽丝靠在一棵毛茛上歇息，用一片叶子当扇子，一边扇一边说，“我很愿意教它一些表演动作，只要——只要我有合适的身高来教它！哎哟！我都差点儿忘了，我得重新长高长大才行！让我想想——怎么样才能长高呢？我想还是得吃点或者喝点什么东西吧。可是最大的问题是要知道那是‘什么东西’。”

一点儿没错，最大的问题就是要知道那是“什么东西”。爱丽丝看看周围的花花草草，看不出有什么东西是适合在目前的情况下吃或者喝的。她身边长着一棵挺大的蘑菇，差不多跟她一样高。她在它下面看看，又到两边看看，再到后面看看，突然想到何不也看看它顶上有些什么呢。

她踮起脚尖，从蘑菇的边上望过去，眼睛恰好正对上一条蓝色大毛毛虫的眼睛。这条毛毛虫叉着双臂坐在蘑菇顶上，静静地吸着长长的水烟筒，对她也好，对其他任何东西也好，全都不予理会。

第五章　毛毛虫的指点

毛毛虫和爱丽丝默不作声地对视了一段时间。最后毛毛虫从嘴里取出水烟筒,用一种没精打采、很懒洋洋的声音问爱丽丝:

"你是谁?"

这是一个表示对谈话不感兴趣的开场白。爱丽丝相当腼腆地回答说:"我——我现在是谁,我可说不上来,先生——我知道今儿早上起来的那会儿我是谁,不过我想打那以后我已经变了好几次了。"

"你这么说是什么意思?"毛毛虫板着脸说,"给我解释清楚。"

"我恐怕自己也解释不清楚,先生,"爱丽丝说,"因为不瞒你说,我已经不是我自己了。"

"我不明白。"毛毛虫说。

"恐怕我也没法说得更明白了,"爱丽丝很有礼貌地回答说,"首先,我自己就不是很明白。其次,一天里这么一会儿变大,一会儿变小,也让

人没法不糊涂呀。”

“不至于吧。”毛毛虫说。

“好吧，也许你还没有这种体会，”爱丽丝说，“等你有一天变成一只茧子——你也知道，总有一天你会变成茧子的——然后再变成一只蛾子，我想那时候你就会觉得有点怪怪的，是不是？”

“一点不会。”毛毛虫说。

“好吧，也许你的感觉有点与众不同，”爱丽丝说，“我只知道，我会觉得很怪很怪。”

“你！”毛毛虫口气很不屑地说，“你是谁？”

谈话又回到起点了。毛毛虫这种爱理不理的口气，让爱丽丝觉得有点生气，她挺直身子，严肃地说：“我想，你应该先告诉我你是谁。”

“为什么？”毛毛虫说。

这又是一个费脑筋的问题。爱丽丝实在想不出一个像样的理由，毛毛虫看上去又情绪非常不佳，于是她掉头就走。

“回来！”毛毛虫叫住她，“我有句重要的话要说！”

这就足够撩拨得爱丽丝心痒痒了。她转身走了回来。

“不要随便发脾气。”毛毛虫说。

“就这句话？”爱丽丝竭力克制住满肚子的火气问。

“还有呢。”毛毛虫说。

爱丽丝心想反正也没事可干，不如就再等一下，也许临了他会说出值得一听的话也说不定呀。有好几分钟，他就那么抽着水烟筒，一声不吭。但最后他松开合抱的双臂，从嘴上取下水烟筒，开口说：“这么说你觉得你变了，是吗？”

“恐怕是这样，先生，”爱丽丝说，“我以前记得的东西，现在不记得了——我一会儿变大，一会儿变小，还不到十分钟就会变一变！”

“不记得什么东西？”毛毛虫问。

“噢，我试过背《小小蜜蜂多忙碌》，可是背出来完全不是那么回事！”爱丽丝回答的语调很郁闷。

“那就背背《你老了，威廉老爸》吧。”毛毛虫说。

爱丽丝把双手合在胸前，背了起来：

“你老了，威廉老爸，”小伙子很来劲，
　　“你的头发已经白了，老爸，
还这么拿大顶竖蜻蜓——
　　你自己觉得像样吗？”

"年轻那会儿,"威廉老爸回答儿子,

"我生怕这样伤着脑子;

如今我吃准自己已经没有脑子,

就放心大胆逗个乐子。"

"你老了,"小伙子说,"我再说一遍,

何况又这么胖得出奇,

可你进门还要来个后空翻,

请问,这么做在不在理?"

“年轻那会儿，”长者摇摇头不和他争，

“我四肢灵活身体壮，

全靠这种油膏——这盒只卖一先令——

就让我卖给你两盒怎么样？”

“你老了，”小伙子说，“按说咬嚼不行，

顶多只能吃点肥肉；

可你居然把一只鹅，啃得骨头也不剩，

请问，你咋就能这么牛？”

"年轻时，"老爸说，"我干了法律这行，

每个案子我都先跟老婆辩上一通；

咬嚼的肌肉，居然越练越强，

想不到一辈子都受用。"

"你老了，"小伙子说，"眼力自然堪虑，

即便老眼昏花也是应该；

可你居然能在鼻尖上顶条鳗鱼，

真不懂你怎么能有这能耐。"

“回答三个问题，我想已经够了，”

　　老爸说，“别再给我摆臭架子！

你以为我会整天听你胡扯？

　　快走，不然我一脚把你踹下楼去！”

“背得不对。”毛毛虫说。

“恐怕是不大对，”爱丽丝怯生生地说，“有些词改了。”

“从头到尾都错了。”毛毛虫果断地说。接下来是几分钟的静默。

毛毛虫先开口。

“你想要长到多高?”他问。

“哦,长多高我倒不是很在乎,”爱丽丝赶紧说,“只是一个人老这么变来变去,你也知道,谁都不会喜欢的。”

“我不知道。”毛毛虫说。

爱丽丝没作声。从小到大,她还从没见过这么爱抬杠的人,她觉得自己快要发脾气了。

“现在这样你满意吗?”毛毛虫问。

“嗯,我想最好再稍许高一点,先生,如果你不介意的话,”爱丽丝说,“三英寸的身高寒碜了点儿。”

“这不是个挺好的身高吗?”毛毛虫生气地说,边说边直起身子来(他正好是三英寸高)。

“可是我不习惯!”爱丽丝可怜兮兮地说。她心想:“我真希望小动物不要这么动不动就生气!”

“你慢慢会习惯的。”毛毛虫说完,把水烟筒放进嘴里,又吸起烟来。

爱丽丝耐心地等他再次开口。过了一两分钟,毛毛虫取下水烟筒,打了一两个哈欠,抖了抖身子,然后从蘑菇上面下来,不一会儿就爬进了草丛,只留下这么一句话:“一边会让你长高,另一边会让你变矮。”

“什么东西的一边和另一边呢?”爱丽丝心想。

“蘑菇。”毛毛虫说,就像爱丽丝大声问了他似的。随后他就消失不见了。

爱丽丝对着蘑菇仔细地看了一会儿，想弄明白哪儿是它的两边。但因为蘑菇完全是圆的，她发现这是一个很难的问题。最后，她尽可能地伸开双臂抱住蘑菇，每只手都掰下一小块蘑菇。

“现在哪个是这一边的，哪个是另一边的呢？”她心里这么想着，张嘴在右手的那一块上咬了一小口，想试试效果。骤然间她感到下巴重重地磕了一下，原来是下巴撞在了脚上！

这突如其来的变化让她大吃一惊，她觉得自己还在迅速缩小，知道时间非常紧迫，不能再有半点迟疑，她立即拿起另一块蘑菇想咬。她的下巴紧紧地顶在了脚上，几乎都没有张嘴的余地了。但她好歹还是张开了嘴，在左手的蘑菇上咬了一口吞了下去。

* * *

“嗬，我的头总算能活动了！”爱丽丝高兴地说，但高兴马上变成了惊慌，因为她发现自己的肩膀找不到了：她往下瞧去，所能见到的只是一截很长很长的脖子，犹如下方远处一片绿叶的海洋上升起的一根茎梗。

“这些绿色的东西是怎么回事？”爱丽丝说，“我的肩膀又到哪儿去了呢？哦，我可怜的手啊，我怎么看不到你们了？”她说着，动了动两只手，但是好像没有什么动静，只有远处的绿叶微微晃了晃。

既然已经没有希望把手举到头上了，她就低下头去想看看它们，结果高兴地发现脖子往任何方向活动都很自如，灵活得像条蛇。她用一个优美的姿势把脖子弯下去，发现那些绿叶原来就是那些大树的树顶，她先前在树下转悠过。但就在她刚要把脖子伸进这些绿叶的当口，她突然听见一阵尖厉的嘶嘶声，赶快把脖子收了回去：一只很大的鸽子飞到她的脸上，用翅膀狠狠地扇她。

“蛇！”鸽子尖声叫道。

“我不是蛇！”爱丽丝气愤地说，“放开我！”

“蛇，我再说一遍！”鸽子说，不过声音低了下来，还带了些哭腔，“我什么办法都试过了，可是都没用！”

“我一点儿也不明白你在说什么。”爱丽丝说。

“我哪儿都试过，试过树根，试过河滩，也试过树篱，”鸽子没去注意她，径自往下说，“可是那些蛇啊！到哪儿它们都不受待见！”

爱丽丝越弄越糊涂了，她想还是什么也别说，先等鸽子说完。

“孵蛋有多辛苦，那就别提了，”鸽子说，“可我还得日日夜夜提防着蛇！这不，我都三个星期没合过眼了！”

“你这么烦恼，我感到很遗憾。”爱丽丝说，她有点明白是怎么回事了。

“我刚在树林里找了一棵最高的树，”鸽子拔高嗓音，又在尖叫了，“刚以为总算甩开了它们，谁知道它们扭啊扭啊又来了！嚯，简直像自天而降！这些可恶的蛇！”

“可我告诉你了，我不是蛇！”爱丽丝说，“我是——我是——”

“说呀！你是什么？”鸽子说，“我看得出，你在编瞎话！”

“我——我是一个小女孩。”爱丽丝说得犹犹豫豫的，因为她记得这一天里自己已经变过好多次了。

“一个小女孩，哼！”鸽子用一种鄙夷不屑的口气说，“我这辈子见过的小女孩多了去了，可是从来没见过脖子这么长的小女孩！不，不对！你就是一条蛇，你抵赖也没用。我想你接下去就要对我说你从没吃过蛋吧！”

“蛋我当然吃过，”爱丽丝说，她是个诚实的孩子，“可是你要知道，小女孩也跟蛇一样经常吃蛋呀。”

“我不信，”鸽子说，“如果真是这样，那么她们就也是一种蛇：我可把话撂在这儿。”

这个想法太新奇了，爱丽丝不由得愣了一会儿，鸽子抓住这个机会接着说：“我很清楚，你是在找蛋。既然如此，你是小女孩还是蛇，对我来说有什么不同呢？”

“可是对我来说完全不同，”爱丽丝急忙说，“再说，我也没在找蛋；即使找蛋，也不会找你的蛋——我不喜欢吃生的蛋。”

“那好，你走吧！”鸽子绷着脸说，重又回到窝里去孵蛋。爱丽丝尽量蹲下身子，可即使这样，脖子还是经常会跟树枝缠在一起，时不时得停下来把树枝解开。这么过了一会儿，她想起手里还有两块蘑菇，于是小心翼翼地试着在两块蘑菇上轮流咬上一小口，结果有时候长高，有时候变矮，试了好几次，才好不容易恢复了自己以前的身高。

脱离正常身高的时间太久了，所以她一开始觉得怪怪的。但过了几分钟她就习惯了，又像平时那样自己跟自己说起话来。“瞧，我的计划有一半已经成功了！这些变化真是把我搞糊涂了！这一分钟都不知道下一分钟会是什么样子！好在身高现在恢复正常了，下一步要做的事，就是到那座美丽的花园里去——可是，怎么才能进去呢？”她正这么说着，忽然发现自己来到了一个开阔的场地，场地上有一座大约四英尺高的小屋子。“不管住在里面的是谁，”爱丽丝想，“看到我这么高会把他们吓坏的！”于是她又咬了一点右手里的蘑菇，等身高缩到了九英寸，才走近那座小屋子。

第六章　猪囡和胡椒

她在屋前站了一两分钟，望着屋子，不知道接下去该做什么。

就在这时，一个穿号衣的仆人突然从树林里跑了出来——她断定他是个仆人，是因为他穿着号衣；要不然，光从他的脸来判断的话，她会说他是条鱼——用手指关节大声敲门。来开门的是另一个穿号衣的仆人，他长着圆圆的脸和青蛙似的大眼睛。爱丽丝注意到，两个仆人的鬈发上都扑了粉。她很好奇，想知道究竟是怎么回事，就从树林里悄悄走出一些，侧耳倾听。

鱼仆人从腋下取出一封很大的信，把这封几乎像他一样大的信递给另一个仆人，同时以庄严的口吻说："王后陛下致函公爵夫人，邀请公爵夫人前去打槌球。"青蛙仆人重说一遍，口吻同样庄严，只是用词稍有变动："王后陛下给公爵夫人来函，邀请公爵夫人前去打槌球。"

然后两人鞠躬，鬈发纠缠在了一起。

爱丽丝看了忍不住要笑，只得跑进树林里去，不让他们听见她的笑声。等她再探出头来张望的时候，鱼仆人已经走了，青蛙仆人坐在门口的地上，呆头呆脑地仰望着天空。

爱丽丝怯生生地走到门口敲门。

“敲门是没有一点用处的，”青蛙仆人说，“原因有二：第一，因为我和你都在门的同一侧；第二，因为里面声音喧闹，根本没人听得见你敲门。”果然，屋子里传来异常喧闹的声响——不断有吼叫声和喷嚏声，时不时还会有碟子或水罐摔碎的巨响。

“那么请问，”爱丽丝说，“我怎么进去呢？”

“倘若你我之间隔着道门，”仆人径自往下说，“你敲门就有点意思了。比如说，你看啊，如果你在里面，你来敲门，我就可以让你出来。”整个说话期间，他始终抬眼望着天，爱丽丝心想这是极其不礼貌的。“不过他也许是没办法，”她对自己说，“他的眼睛长得离头顶实在太近了。但是不管怎么说，他总该回答人家的问题呀。”“我怎么进去呢？”她大声再问一遍。

“我要坐在这儿，”仆人说，“一直坐到明天——”

就在这时，屋子的门打开了，从里面飞出一只大盘子，冲着青蛙仆人的脑袋而来，结果擦过他的鼻子，在他身后的一棵树上撞得粉碎。

“——或者后天，也说不定。”仆人用同样的语气往下说，就像什么事也没发生过。

“我怎么进去呢?”爱丽丝更大声地再问一遍。

“你确定你要进去吗?”仆人说,“这是首要的问题,你得明白。”

没错,她明白,但她不喜欢人家用这种口气说话。“真受不了,”她轻声对自己说,“所有的人都这么喜欢抬杠。非得把人逼疯了不可!”

仆人大概觉得这是把刚才的话重说一遍的好机会,不过他说的时候用词稍有变动。“我要坐在这儿,”他说,“夜以继日,时断时续。”

“那我干什么呢?”爱丽丝问。

“爱干吗就干吗。”仆人说完,吹起口哨来了。

“哦,跟他说什么都是白搭,”爱丽丝绝望地想,“他就是个白痴!”她径自开门走了进去。

一进门就是个大厨房,里面上上下下烟雾缭绕。公爵夫人坐在中央一张三条腿的凳子上,手里抱着一个婴儿。厨娘在炉灶前弯着腰搅拌一口大锅,锅里看上去盛满了汤。

“汤里肯定胡椒太多了!”爱丽丝一边不停地打喷嚏,一边在心里这么想。

空气里肯定胡椒也太多了。就连公爵夫人也要打上几个喷嚏;至于那个婴儿,他不是打喷嚏,就是哇哇叫,一刻也不消停。整个厨房里,不打喷嚏的只有厨娘和一只大猫,这只猫躺在炉灶边上,咧着嘴在笑。

“对不起，请问一下，”爱丽丝有点羞涩地说，她不能肯定自己这么先开口举止是否得体，“你的猫为什么这样咧着嘴笑？”

“这是一只柴郡猫，”公爵夫人说，“这就是为什么。猪囡！”

最后那声“猪囡”来得那么突然，又叫得那么响，爱丽丝吓得差点儿跳了起来；但她马上就明白了，这不是对她说，而是对婴儿说的，所以她鼓起勇气往下说：“我不知道柴郡猫是老咧着嘴笑的；其实，我压根儿不知道猫会咧着嘴笑。”

“他们都会这么笑，”公爵夫人说，“大多数也就这么笑。”

“这我还真不知道。”爱丽丝挺有礼貌地说，她很高兴能聊起天来。

“你知道的东西太少了，”公爵夫人说，“就这么回事。”

爱丽丝一点儿也不喜欢公爵夫人说这话的口气，心想可能还是换个话题为好。就在她盘算着找话题的当口，那厨娘把汤锅从炉灶上端下，抄起手边拿得到的东西，劈头盖脸地朝公爵夫人和婴儿扔过去——先是火钳和通条，接着是平底锅和盘子碟子。公爵夫人即使被砸到了，也毫不理会，婴儿原先就哭得挺凶，现在根本说不清他到底是被砸到了，还是没有被砸到。

“喂，请你当心点儿，看着自己做的事好吗！”爱丽丝一边嚷，一边吓得连连跳脚。“哦，当心他的漂亮鼻子！”这时一口特大的平底锅正朝婴儿飞来，差点把他的鼻子削掉。

“要是每个人都能当心点儿，少管人家做的事儿，”公爵夫人嘶哑地吼道，“世界转起来就会快得多。”

“这并不是好事，”爱丽丝说，她很高兴逮着个机会，稍稍显摆一下自己学过的知识，“你想想看，它一天一夜要做多少工作啊！你知道，地球每二十四小时绕它的轴转一圈——”

“说到粥[①]，”公爵夫人说，“待会儿烧锅粥烫死她！”

---

① 公爵夫人把“轴”听成（或许是故意听成）“粥”，扬言要用粥烫死爱丽丝。其实原文中公爵夫人是把axis（轴）听成axes（斧头），嚷嚷要用斧头“砍下她的头”。

爱丽丝非常担忧地瞥了一眼厨娘，看她有没有把这话当真。只见厨娘忙着搅汤，好像没听到刚才的话似的。她就继续往下说："我记得是二十四小时。要不然是十二小时？我——"

"哦，别来烦我！"公爵夫人说，"我听到数字就受不了！"说着她又哄起孩子来了，嘴里唱着一种类似摇篮曲的东西，每唱一句就猛地摇晃一下婴儿。

孩子该骂就要骂，

　　他打喷嚏就要打；

你若不骂也不打，

　　他就来劲当你傻！

合唱：

（厨娘和婴儿加入）

　　"呜哇！呜哇！呜哇！"

而当公爵夫人唱第二段歌词时，她使劲地把婴儿抛上抛下，可怜的小家伙拼命大哭，爱丽丝几乎连歌词都听不清了。

我的孩子我要骂，

　　他打喷嚏我就打；

只要他能乖乖的，

　　胡椒味道算个啥！

合唱：

　　“呜哇！呜哇！呜哇！”

“过来！你高兴的话可以抱抱他！”公爵夫人对爱丽丝说，话音未完，她就把婴儿扔给了爱丽丝。“我得准备准备，要去跟王后打槌球了。”说完她匆匆走出厨房。厨娘向她背后扔过去一只煎锅，但没砸中她。

爱丽丝要抱住这个婴儿，还真有些困难，因为他是个奇形怪状的小家伙，四仰八叉地躺着。“真像个海星。”爱丽丝心想。可怜的小东西在她怀里像蒸汽机那样喷着鼻息，身体不停地蜷起又挺直，总之，头一两分钟她好不容易才抱住他，没让他掉下去。

等她摸索出了抱他的门道（先像打结似的把他拧在一起，然后揪住他的右耳和左脚，不让他挣脱），她马上抱着他来到屋外。“要是我不把这个孩子带出来，”爱丽丝想，“不出两天他们肯定会宰掉他。把他留在里面岂不是谋杀？”后面那句话她是大声说的，小东西哼哼几声算是回答（他这

会儿已经不打喷嚏了)。“别哼哧哼哧的,”爱丽丝说,“这可不是表达自己的恰当方式。”

婴儿又哼哼了两声,爱丽丝担心地看着他的脸,想弄清楚是怎么回事。很显然,他长着个翘得很高的鼻子,那不像小孩的鼻子,倒像个猪鼻子。还有,他的眼睛对一个婴儿来说,也实在显得太小了点儿。反正爱丽丝一点儿也不喜欢这家伙的模样。“不过,说不定他是在擤鼻子呢。”她想,又低下头去看他的眼睛,看看有没有眼泪。

没有,一滴眼泪也没有。“假如你要变成一头猪,小家伙,”爱丽丝严肃地说,“我可就不管你了。你自己当心哟!”可怜的小家伙又擤了下鼻子(或者是哼哧了一下,这事说不清),他俩默默地走了一段路。

爱丽丝开始琢磨起来:“把他抱回家以后,我该拿这家伙怎么办呢?”这时候他又哼哧起来,而且声音特别响,爱丽丝有些惊慌,低头去看他的脸。这次是怎么也错不了啦:它确确实实就是一头猪。爱丽丝觉得,自己再抱着它未免太荒唐了。

于是她把小东西放在地上,看着它静静地跑进树林,感到舒了一口气。“它长大以后,”她对自己说,“作为一个孩子来说,那真是奇丑无比。可是作为一头猪来说,会是一头漂亮的猪哟。”她逐个去想自己认识的那些孩子,看看谁比较适合变成猪。想到最后,她对自己说:“要是能知道个法子,真能把他们变成——”突然间,她猛地瞅见那只柴郡猫端坐

在几码开外的树枝上，不由得小小地吃了一惊。

那只猫看见爱丽丝，咧开嘴笑了笑。“他看上去很温厚。”她心想。但他的爪子那么长，牙齿又那么多，爱丽丝心想跟他相处还是得小心。

“柴郡猫咪。”她怯生生地开口说，吃不准这样招呼他，他高兴不高兴。他依然露齿而笑，只不过嘴咧得更大了。“行啊，他还挺高兴的。”爱丽丝心里这么想，就继续往下说，“麻烦你告诉我，我要从这儿出去，应该走哪条路呀？”

“这在很大程度上取决于你要去什么地方。”猫说。

“去什么地方，我并不很在乎——”爱丽丝说。

“那么你走哪条路也就无所谓了。”猫说。

“——只要能去一个地方就可以了。”爱丽丝把话说完，也算是一个解释。

“哦，这你肯定能做到，”猫说，“只要走得足够远就行。”

爱丽丝觉得这一点无法否认，于是她尝试问另一个问题：“这附近都住着些什么人呢？”

“这边，”猫举起右爪挥了挥说，“住着一个帽匠；那边，”他挥了挥另一个爪子，“住着一只三月兔。你爱找谁就找谁吧，反正他们两个都是疯子。”①

“可我没想去找疯子啊。”爱丽丝说。

“噢，你别无他法，”猫说，“我们这儿都是疯子。我是疯子，你也是疯子。”

“你怎么知道我是疯子？”爱丽丝问。

“必须的，”猫说，“否则你就不会到这儿来。”

爱丽丝觉得这理由很牵强。但她还是说：“那你怎么知道你是疯子呢？”

“首先我要问你，”猫说，“狗不是疯子，这你同意吗？”

“我想是吧。”爱丽丝说。

“那么好，”猫往下说，“你看，狗生气时会汪汪叫，高兴时会摇尾巴。

---

① 英语中有两句成语，一句叫“疯如帽匠(mad as a hatter)”，另一句叫“疯如三月兔(mad as a March hare)”。

而我呢，高兴时汪汪叫，生气时摇尾巴。所以我是疯子。”

“我觉得你那是打呼噜，不是汪汪叫。”爱丽丝说。

“你爱怎么说就怎么说，”猫说，“你今天去和王后打槌球吗？”

“我很想去，”爱丽丝说，“可是我没有收到邀请呀。”

“你会在那儿见到我。”猫说完就消失不见了。

爱丽丝对此并不感到很奇怪，稀奇古怪的事儿见得多了，也就习惯了。她看着猫刚才待着的地方，这时他突然又出现了。

“顺便问一下，那孩子怎么样了？”猫说，“我差点儿忘了问了。”

“他变成一头猪了。”爱丽丝很平静地回答，仿佛猫这么一隐一现是件非常自然的事儿。

“我早就料到了。”猫说完，又消失不见了。

爱丽丝等了一会儿，心想说不定还会见到他，但是他没有出现。过了一两分钟，她就朝据说住着三月兔的方向走了过去。“帽匠我以前见过，”她心想，“三月兔一定更有趣，再说现在已经是五月了，他说不定不会再疯得那么厉害——至少不会像三月里那么疯了。”她说着，抬起头望去，只见柴郡猫又坐在了一根树枝上。

“你刚才是说‘猪’，还是‘书’？”猫问。

“我是说猪，”爱丽丝回答，“我希望你别再这么突然间出现，又突然间消失，弄得人家眼花缭乱的！”

“好的。”猫说。这次他消失得非常缓慢，最先的是尾巴梢头，收梢的是咧嘴的笑容，这个笑容在别的部位都消失以后，还滞留了一段时间。

“嘿！没有笑容的猫我常看见，”爱丽丝想，“但是没有猫的笑容，还真没见过！我长这么大，这真是见到的最稀奇的事情！”

她走了没多远，就看见了一间屋子，她想这屋子一定是三月兔的，因为烟囱的形状像兔子耳朵，屋顶上也铺着兔子的毛皮。屋子很大，所以爱丽丝先咬了一口右手里的蘑菇，等自己长到差不多两英尺高了，才走上前去。但即便这样，她走近屋子时心里还是很胆怯，暗自对自己说：“但愿他别疯得太厉害哟！说不定我真该先去看帽匠才是！”

第七章　疯茶会

屋子前面的一棵树下，放着一张桌子，三月兔和帽匠正在桌旁喝茶，一只睡鼠坐在他俩中间，睡得很沉，他俩拿他当靠垫，把胳膊肘搁在他身上，隔着他的头顶聊天。“睡鼠这样一定很不舒服，”爱丽丝心想，“不过他睡着了，我想他不会在意的。”

桌子很大，他们三个都挤在一个角上。但看见爱丽丝走过去，三月兔和帽匠喊道：“没地方了！没地方了！”爱丽丝气呼呼地说：“有的是地方！”径自在桌子那头的大扶手椅上坐了下来。

“来点葡萄酒吧。”三月兔挺热情地说。

爱丽丝朝桌子上看了一眼，桌子上除了茶，别的什么都没有。“我没看见有酒啊。”她说。

“是没有。”三月兔说。

“你这么说很不礼貌。”爱丽丝生气地说。

“你没得到邀请就坐下来，你这么做很不礼貌。”三月兔说。

“我不知道这是你的桌子，”爱丽丝说，“上面放着好多杯茶，又不是只放着你们三个人的。”

“你的头发该剪了。”帽匠说。方才他朝爱丽丝看了好久，眼睛里满是好奇，这会儿他终于开口了。

“你应该学着点儿，别对人家评头论足的，”爱丽丝口气颇为严肃地说，“这样很粗鲁。”

帽匠听了这话，眼睛瞪得大大的，但他问道：“渡鸦为什么像写字桌？”

“嘿，好玩的事儿来了！”爱丽丝心想，“我很高兴他们要玩脑筋急转弯了——我相信这我答得上来。”后面一句话她是大声说的。

“你的意思是，你认为你能找到答案？”三月兔问。

“一点不错。”爱丽丝说。

“那你应该怎么想就怎么说呗。”三月兔接着说。

“我是说了呀，”爱丽丝急忙回答，“——至少我是怎么说就怎么想的——这是一回事，你知道。”

“根本不是一回事！”帽匠说，“怎么，难道你可以说‘我看见我吃的东西’和‘我吃了我看见的东西’是一回事吗？”

“难道你可以说，”三月兔说，“‘我喜欢我拿到的东西’和‘我拿到我喜欢的东西’是一回事吗？”

“难道你可以说，”睡鼠也凑上来说，声音就像梦呓，“我睡觉时呼吸’和‘我呼吸时睡觉’是一回事吗？”

“对你来说就是一回事。”帽匠说，对话到此戛然而止，茶桌上有片刻静默，趁这工夫爱丽丝拼命回想关于渡鸦和写字桌自己记得些什么。好像什么也不记得了。

帽匠首先打破沉默。“今天是几号？”他转过脸来问爱丽丝，然后从衣袋里掏出怀表，担心地看着它，时不时摇一下，凑在耳朵上听听。

爱丽丝想了一会儿，然后说：“四号。”

“差了两天！”帽匠叹气说。“我对你说过，表里加黄油不行！”他生气地瞅着三月兔说。

"那是最好的黄油。"三月兔柔声回答。

"这没错,但是一定有面包屑掉进去了,"帽匠嘟哝着,"加油的时候你不该用面包刀。"

三月兔把表拿过去,阴郁地瞧着它,然后把它浸在自己的茶杯里,又瞧了瞧。但他还是想不出什么更好的话,于是就重复了一遍刚才说过的话:"你要知道,那是最好的黄油。"

爱丽丝一直在他身后好奇地张望。"这块表真好玩儿!"她说,"只能看几号,不能看钟点!"

"干吗要有钟点?"帽匠轻声含糊地说,"你的表上难道有年份吗?"

"当然没有,"爱丽丝立即回答,"那是因为一年里面有太多的时间了。"

"我的情况也是这样。"帽匠说。

爱丽丝彻底给弄糊涂了。帽匠的话她一点也听不明白其中的意思,可是又不得不说那确实是英语。"你说的话我不太明白。"她尽可能客气地说。

"睡鼠又睡着了。"帽匠说着,往睡鼠的鼻子上倒了点热茶。

睡鼠不耐烦地摇了摇头,眼睛也没睁开地说:"当然,当然,我也正想这么说。"

“那个脑筋急转弯你想出来了吗？”帽匠又转向爱丽丝问道。

“没有，我放弃吧，”爱丽丝回答，“答案是什么？”

“我压根儿就不知道。”帽匠说。

“我也不知道。”三月兔说。

爱丽丝觉得很没趣地叹了口气。“我觉得你们最好还是抓紧时间做点事儿，”她说，“别把它浪费在这种没有答案的问题上。”

“假如你像我一样认识时间，”帽匠说，“你就不会说‘它’了。应该说‘他’。”

“我不明白你的意思。”爱丽丝说。

“你当然不会明白！”帽匠表示轻蔑地甩了甩脑袋说，“我能肯定，你从来没有和时间说过话！”

“也许是没有，”爱丽丝谨慎地回答，“但是我上音乐课的时候知道要按时间长短打拍子。”

“噢！原来是这样，”帽匠说，“他可经不起拍打。听着，如果你能和他搞好关系，你想要时钟怎么样，他几乎都可以给你搞定。举个例子，比如现在是上午九点钟，马上就要开始上课了，可你只要悄悄地跟时间打个招呼，时钟马上就会转动起来，一眨眼的工夫，就是一点半，吃午饭的时候到了！”

（“但愿如此吧。”三月兔轻轻地自言自语。）

“这当然挺棒的,”爱丽丝边想边说,“不过那么一来——我还不饿呢,你知道吗?”

“一开始可能是不饿,”帽匠说,“反正你可以让时间停在一点半,爱停多久就停多久。”

“你就是这么做的吗?”爱丽丝问。

帽匠伤心地摇了摇头。“我没有这么做!”他回答说,“去年三月,我俩吵了一架——你要知道,刚好就在他发疯之前——”(他用茶匙指了指三月兔)“——那是在红心王后举办的盛大音乐会上,当时我演唱这首曲子:

小蝙蝠呀,眼睛亮晶晶!

　　不知道你为啥这么开心!

“你也许知道这首曲子?”

“我好像听过一首曲子,跟它挺像的。”爱丽丝说。

“还没完呢,你知道,”帽匠说,“后面是这样的:

你像一只茶盘巡天

飞来飞去消遣时间。

亮晶晶,亮晶晶——”

这时睡鼠抖了抖身子,在睡梦中唱道:“亮晶晶,亮晶晶,亮晶晶,亮晶晶——”听他这么没完没了地唱,他们只好拧他,让他别再唱了。

“嘿,我第一段还没唱完,”帽匠说,“王后就大声喊道:‘他说消遣,就是说戏弄!时间岂容戏弄,拉出去砍了!’”

“简直太野蛮了!”爱丽丝叫道。

“打那以后,”帽匠声音悲切地往下说,“我要他做什么他都不肯了!现在永远是六点钟。”

爱丽丝脑子里灵光一现。“所以桌上才放着这么多茶具,是吗?”她问。

“没错,就是这缘故,”帽匠叹气说,“永远都是下午茶的时间,我们根本抽不出时间去洗茶具。”

“你们就绕着桌子转圈,不停地挪位置,是吗?”爱丽丝问。

“一点不错,”帽匠说,“面前的茶喝完了,就挪个位置。”

“那么,又转回到起点了怎么办?”爱丽丝壮着胆子问。

“我们换个话题怎么样?”三月兔打着哈欠插嘴说,“老说这事,我都觉得烦了。我提议请这位小姐讲个故事。”

“我恐怕不行。”爱丽丝说,这个提议让她感到很惊惶。

“那就睡鼠来讲!”他俩齐声喊道,“快醒醒,睡鼠!”他俩从两边同时拧他。

睡鼠慢慢地睁开眼睛。“我没睡着,”他的声音又哑又弱,“你们俩说什么我听得很清楚。”

“给我们讲个故事!”三月兔说。

“是的,请讲一个吧!”爱丽丝央求说。

“快点讲吧,”帽匠说,“不然你又要睡着,根本来不及讲了。”

“从前有三个姐妹,”睡鼠着急忙慌地开始讲了,“她们名叫埃尔西、莱茜和蒂莉。她们住在一口井下——”

“那她们吃什么呢?”爱丽丝问,她总是对吃什么、喝什么特别感兴趣。

“她们吃糖浆。”睡鼠想了一两分钟,然后说。

“她们这么做是不行的，你知道，”爱丽丝和婉地指出，“她们会生病的。”

“她们确实生病了，”睡鼠说，“病得很重。”

爱丽丝心想，不如想象一下这种非同寻常的生活方式是怎么样的，但是这问题太费脑筋了，所以她接下去问：“那么她们为什么要住在井底呢？”

“再加点茶吧。”三月兔对爱丽丝说，语气很热情。

“我的杯子里根本没有茶，”爱丽丝不高兴地说，“所以不能说再加点。”

“你是说你没有茶，所以没法再减掉点，”帽匠说，“不过要再加一点，那很容易。”

“没人要你发表意见。”爱丽丝说。

“现在究竟是谁在发表个人意见哪？”帽匠得意地问。

爱丽丝一时有点语塞。于是她给自己倒了点茶，吃了点涂黄油的面包，然后转过脸去对着睡鼠，重问一遍刚才的问题：“她们为什么要住在井底呢？”

睡鼠又想了一两分钟，然后说：“那是一口糖浆井。”

“哪有这种事呀！”爱丽丝火气冒了上来，可是帽匠和三月兔都对着她说：“嘘！嘘！”睡鼠绷着脸说：“如果你这么不懂礼貌，这个故事你就自己去讲完吧。”

“别这样，请你继续讲下去！”爱丽丝赔着小心说，“我不会再打断你了。我想说，这种井或许是有那么一口的。”

“当然有一口啰！”睡鼠愤愤然地说，不过，他总算同意接着讲故事了，“就这样，这三姐妹——你们知道，她们要——”

“舀[①]什么？”爱丽丝说，全然忘了自己的承诺。

“糖浆。”睡鼠这次想也没想，就回答说。

“我要个干净杯子，”帽匠插嘴说，“我们大家都挪个位置吧。”

他说着就挪了个位置，睡鼠跟着他做。三月兔挪到了睡鼠的位置，爱丽丝挺不情愿地挪到了三月兔的位置。帽匠是这么挪动位置的唯一受益者。爱丽丝的处境非常糟糕，因为三月兔刚把牛奶罐打翻在盘子里。

爱丽丝不想再惹睡鼠生气，她小心翼翼地开口说：“可我不明白，她们从哪儿舀糖浆呢？”

“你既然可以从水井里舀水，”帽匠说，“那怎么就不可以从糖浆井里舀糖浆呢——嗯，你说你傻不傻？”

“可她们自己在井底。”爱丽丝对睡鼠说，装作没听到帽匠最后的那

① 原文此处为draw，这个词的意思可以是“画画”，也可以是“汲取”，由此引发一段有趣的文字游戏。译文中用“要”和“舀”的谐音来勉力传达其中些许趣味。

句话。

“当然在那儿，”睡鼠说，“但不是浸底呀。”

这个回答让可怜的爱丽丝更摸不着头脑了，她听着睡鼠往下讲，有一小会儿没去打断他。

“你们知道，她们要——要学画画，”睡鼠一边往下说，一边不停地打哈欠、揉眼睛，他实在太困了，“她们画各式各样的东西——只要是带‘头’字的东西都画——”

“为什么是带‘头’字的？”爱丽丝问。

“这有什么不好？”三月兔说。

爱丽丝不作声了。

睡鼠闭上眼睛，正要打盹。帽匠拧了他一把，他尖叫一声醒了过来，继续往下说：“——只要带‘头’字的都画，比如说木头、石头、榔头、萝卜头、轧苗头——你可曾见过画出来的轧苗头？！”

“既然你问我，”爱丽丝局促不安地说，“说实话，我恐怕没有——”

“那你就不应该说话。”帽匠说。

这样粗鲁，爱丽丝觉得忍无可忍：她愤然起身，往外走去。睡鼠顷刻间睡着了，另外两个谁也没有理会她的离去，虽然她回过头去看了两三次，有点希望他们能叫住她，但她最后一次去看他俩时，他俩却在忙着把睡鼠塞进茶壶里去。

“反正我不会再到那儿去了,”爱丽丝在树林里找路往前走的时候,这么对自己说,“这是我长这么大参加过的最愚蠢的茶会!”

就在她这么说的当口,她看见一棵树上有一扇门,通往树身里面。“这挺稀奇的!”她想,“不过今天遇到的事儿都挺稀奇的。我想不如马上就进去吧。”说着她走了进去。

她发现自己又一次来到了那个长长的门厅,身旁是那张小小的玻璃桌。“好嘞,这回我可得好好干。”她一边这么想,一边取下那把小金钥匙,打开通往花园的门。然后她咬了几口蘑菇(她衣袋里还藏了一块),让自己缩到差不多一英尺高。然后她沿着小小的通道往前走。然后——她终于来到了那个美丽的花园,来到了鲜花盛开的花圃和水珠清冽的喷泉中间。

第八章　王后的槌球场

花园的入口近旁，有一棵很大的玫瑰树。树上开的花儿是白色的，可是有三个园丁正在忙着把它们漆成红色。爱丽丝心想这可真是怪事，她想走近看看他们。刚要走到他们跟前的时候，她听见其中一个人说："当心点儿，小五！别让漆溅到我身上！"

"我又没办法，"小五绷着脸说，"小七撞了我的胳膊肘。"

听到这话，小七抬起头说："好你个小五！就知道怪别人！"

"你呀，还是快给我闭嘴吧！"小五说，"昨儿我还听王后说要砍你脑袋呢。”

“为了什么？”最先说话的那人问。

“这不关你的事，小二！”小七说。

“错，这事跟他有关系！”小五说，“就让我来告诉他吧——厨师叫小七拿洋葱，可他却拿了郁金香块茎。”

小七把漆刷往地上一扔，刚说了“要说冤枉啊——”这半句话，忽然瞥见了爱丽丝，她正站在那儿瞧着他们。他立马打住话头，另两个人也回头看见了她，三人一齐恭恭敬敬地向她鞠躬。

“请问，”爱丽丝有点羞怯地问道，“你们为什么要给这些玫瑰涂漆？”

小五和小七看着小二，都不作声。小二低声说：“哦，是这么回事，你瞧，小姐，这儿原本是该种红玫瑰树的，可我们错种了白玫瑰树。要是这事让王后发现了，你知道，我们的脑袋就都保不住了。所以你看，小姐，我们要赶在她来之前，尽快——”正在这时，一直焦虑不安地朝花园那头张望的小五喊道：“王后来了！王后来了！”三个园丁立刻跪下身去，匍匐在地。远远传来许多人的脚步声，爱丽丝转过脸去，急切地想看看王后是什么样的。

走在最前面的，是十个手执长矛的梅花士兵。他们都跟三个园丁一样，身体是扁平的长方形，手脚分别长在四个角上。接着是十个廷臣，身上的装饰是方块钻石，他们和士兵一样，两个一排往前行进。他们后面是王室子女，也是十个，这些可爱的小家伙手牵手，一路开心地蹦蹦跳跳；他们身上都装饰着红心。接下来就是宾客了，这些宾客多半是国王和王后，爱丽丝在他们中间认出了白兔，他神情匆忙而激动地跟旁边的人说着话，对着他们每个人微笑，他没注意到爱丽丝，从她身边走了过去。后面是红心杰克，他手里捧着深红色的丝绒垫子，上面放着国王的王冠。走在这个壮观的队伍最后的，是红心国王和王后。

爱丽丝在犹豫，不知道是不是应该像三个园丁那样匍匐在地，但她想了想，好像不记得听说过队伍经过时有这样的规矩。“何况，”她心想，“要是大家都趴在地上了，那么有谁来看这支队伍呢？”于是她就站在原地不动。

队列行进到爱丽丝面前时，他们停了下来看着爱丽丝，王后厉声说：“这是什么人？”她问的是红心杰克，但他鞠躬微笑，不作一声。

“白痴！”王后不耐烦地把头一甩说，又转向爱丽丝继续问，“你叫什么名字，孩子？”

“回禀陛下，我叫爱丽丝。”爱丽丝很有礼貌地说。但她在心中暗自想：“有什么呀？他们说到底就是一副扑克牌罢了。我不用怕他们！”

“这些人是谁？”王后指着匍匐在玫瑰树周围的三个园丁问，因为你们知道，他们脸朝下匍匐在地上，背上的图案和同一副牌里其他人的一模一样，王后看不出来他们究竟是园丁、士兵、廷臣，还是她自己的三个子女。

“这我怎么知道？”爱丽丝说，她居然有这样的勇气，连她自己都感到吃惊，“这又不关我的事。”

王后气得满脸通红，像一头发狂的野兽那样盯着她看了一会儿，然后大声喊道：“砍掉她的脑袋！砍掉——”

“岂有此理！”爱丽丝大声而果断地说，王后一下子不作声了。

国王把手按在王后的胳膊上，怯生生地说：“再考虑一下，亲爱的。她只是个孩子！”

王后生气地转过身去不理他，对杰克说：“把他们翻过来！”

杰克用一只脚很小心地把他们翻了过来。

“起来！”王后尖着嗓子大声说，三个园丁立刻纵身而起，向国王、王后、王室子女和其他每个人鞠躬。

“行了行了！”王后大声说，“我看得头都晕了。”然后她转过脸去看玫瑰树，问道：“你们刚才在那儿做什么？”

“回禀陛下，”小二单膝跪地，语气极其谦卑地说，“我们是想——”

“我明白了！”王后说，她已经对那些玫瑰端详了一会儿，“砍掉他们的脑袋！”队列继续向前行进，留下三个士兵准备处决三个倒霉的园丁。三个园丁急忙跑到爱丽丝面前寻求保护。

“你们不会掉脑袋的！”爱丽丝说着，把他们藏在旁边的一只大花盆里。三个士兵在四下里找了一两分钟，没见到园丁的人影，就一声不响地去追赶队伍了。

“把他们的脑袋砍掉了？”王后大声问道。

“回禀陛下，他们的脑袋都没了！”士兵们大声回答。

“好！”王后大声说，“你会打槌球吗？”

士兵们不响，看着爱丽丝，这个问题显然问的是她。

“会！”爱丽丝大声说。

“那就过来！”王后吼道，于是爱丽丝加入了行进队伍，不知道接下去会发生什么事情。

“今天——今天天气挺不错！”旁边传来一个怯生生的声音。原来边上就是白兔，他正神情不安地看着她的脸色。

“挺不错，”爱丽丝说，“公爵夫人在哪儿？”

“嘘！嘘！”白兔赶紧低声说，同时神色紧张地回过头去看看身后，然后踮起脚尖，凑在爱丽丝耳边悄悄地说，“她被判了死刑。”

“为什么？”

“你是说‘为她惋惜’吧？”兔子问。

“不，我没说，”爱丽丝说，“我不觉得有什么值得惋惜的。我是说‘为什么？’。”

"她扇了王后一个耳光——"兔子说，爱丽丝忍不住笑出声来。"哦，别笑！"兔子惊恐地轻声说，"王后会听见的！公爵夫人来得很晚，王后就说——"

这时传来王后雷鸣般的声音："各就各位！"大家朝四下里跑去，相互撞来撞去。一两分钟过后，总算各自都到了位，球赛开始了。

爱丽丝心想，自己长这么大，还从来没有见过这样奇怪的槌球场。场地上到处都是沟沟坎坎，槌球是活的刺猬，球棒是活的火烈鸟，士兵们弯下腰去双手撑在地上，拱起身子当球门。

爱丽丝起初觉得最难的，是摆弄手里的那只火烈鸟。她好不容易才找到了一种比较舒服的姿势，把它整个身体夹在腋下，让两条腿垂在那儿；可是，每当她把鸟脖子弄直，要用它的脑袋去击打刺猬的时候，它总会扭过头来看她，那种迷惑不解的表情引得爱丽丝哈哈大笑。她把鸟脑袋按下去，再次准备击打，可这时她又大为恼火地发现，原先蜷成一团的刺猬居然松开身子，想要爬走了。这还不算，无论她要把刺猬往哪个方向送过去，总会有道沟，或是有道坎挡在中间。而且，那些弯腰的士兵时不时会直起身来，跑到场上的另一个地方去当球门。爱丽丝很快就得出了结论，这个球赛没法玩儿。

参加球赛的人不管有没有轮到自己，大家同时开打，争着击打刺猬，吵得不亦乐乎。不一会儿，王后就大发雷霆，走来走去跺着脚喊："砍掉

他的脑袋！”或者“砍掉她的脑袋！”差不多每分钟要喊一次。

爱丽丝觉得很担心。是的，到目前为止她还没有跟王后起过争执，可是她知道，那是随时都可能发生的。“到那时，”她想，“我会怎么样呢？这儿的人太喜欢砍脑袋了。不过奇怪的是，他们居然还都活得好好的！”

她往四周看去，想找个逃跑的办法，琢磨着怎样逃跑才能不被人看到。正在这时，她忽然注意到半空中显现出一个奇怪的模样，起先她完全不明白这是什么名堂，但看了一两分钟以后，她认出了这是一个咧着嘴的微笑，心想："这是柴郡猫，现在我有人好说说话了。"

"你近来怎么样？"一等到嘴巴显现得足以说话的时候，柴郡猫就开口问。

爱丽丝等到他眼睛也显现出来时，才点了点头。"现在跟他说也没用，"她心想，"要等他耳朵出来，至少有一只出来才行。"过了一会儿，整个脸都显现出来了，这时爱丽丝放下火烈鸟，开始讲起球赛的事来，终于有人听她说话了，她感到挺高兴的。猫大概觉得让她看见这些东西已经够了，就没有再显现别的部位。

"我觉得他们比赛一点儿也不讲规矩，"爱丽丝用抱怨的语气说，"大家吵来吵去，吵得连自己说的话都听不见——而且看上去他们根本就没有什么规则，就算有，也没人理它——你简直想象不到那场面有多混乱，样样东西都是活的、会动的。比如说吧，我刚要打进一个球门，想不到它却在场地那头走动起来了——刚才我应该贴击[①]王后的刺猬，可是它瞧见我的刺猬过去就跑开了！"

"你喜不喜欢王后？"猫低声问道。

"一点儿也不喜欢。"爱丽丝说，"她实在太——"就在这时，她注意到王后就在自己身后听着，于是她就说："——太厉害了，不用等比赛结

---

① 贴击是槌球术语，指把自己的球紧贴在对方的球旁边，用脚稳住自己的球，然后击发，撞走对方的球。

束，就能知道她准赢。”

王后微微一笑，走了过去。

“你在和谁说话？”国王走到爱丽丝跟前问道，大为好奇地看着猫的脸。

“请允许我介绍一下，”爱丽丝说，“这是我的一个朋友——柴郡猫。”

“我一点也不喜欢他的样子，”国王说，“不过他要是愿意，可以吻一下我的手。”

“那就算了吧。”猫说。

“放肆！”国王说，“别这样看着我！”说着，他躲到了爱丽丝背后。

“一只猫是可以看着一位国王的①，”爱丽丝说，“我在一本书里读到过，不过我忘记是哪本书了。”

“哦，必须让他消失。”国王很果断地说。这时王后正好从他身边走过，他就对王后说：“亲爱的，我希望你让这只猫消失！”

对任何大大小小的棘手问题，王后的解决办法就一个。“砍掉他的脑袋！”她头也不回地说。

“我亲自去叫行刑的士兵。”国王急不可待地说，随即匆匆离去。

---

① “猫也可以看国王。”（A cat may look at a king.）这是一句英国谚语。

爱丽丝听见王后在远处气急败坏地嚷嚷，心想不如回去看看球赛进行得怎么样了。她已经听见王后下令处死三名球员，原因是轮到他们击球时，他们没有击球。她一点也不喜欢场上的局面，整个比赛一片混乱，她根本不知道有没有轮到自己击球。于是她赶紧去找她的刺猬。

这只刺猬正在和另一只刺猬打架，爱丽丝觉得这是个绝好的机会，让她可以按住一只刺猬贴击另一只刺猬。麻烦的是她的火烈鸟跑到花园的另一边去了，爱丽丝远远地看见它扑腾着翅膀想飞上一棵树，可就是飞不上去。

等她跑过去抓住火烈鸟，把它抱回来，打架已经结束，两只刺猬都已不见踪影。“也没什么关系，”爱丽丝心想，“反正场上这一边的球门也都跑掉了。”她把火烈鸟夹在腋下，不让它再逃跑，然后回去准备继续和柴郡猫聊天。

回到柴郡猫那儿，她惊讶地看见他周围聚集了一大群人。行刑士兵、国王和王后三人争论不休，三张嘴同时在说话，其他人默不作声，看上去忧心忡忡。

一见爱丽丝来了，三个人都要她来评评理。他们争着告诉她自己的论点，但因为是三人同时说话，爱丽丝很难听清楚每人到底在说些什么。

行刑士兵的论点是，要是光有脑袋没有身体的话，你没法砍掉这个脑袋。他以前从来没有这么干过，这辈子也不打算这么干。

国王的论点是，任何东西只要有脑袋，就可以让它掉脑袋，不应该胡说八道。

王后的论点是，如果这件事不能立刻解决，她就处决在场的每一个人。（正是最后这句话，让周围所有的人显得神情凝重、忧心忡忡。）

爱丽丝想不出该怎么回答，就说了句："这只猫是公爵夫人的，你们最好去找她问一下。"

"她在监牢里，"王后对着行刑士兵说，"快把她带到这儿来。"行刑士兵拔腿就跑，箭也似的一下子就跑得老远。

就在士兵离去的当口，柴郡猫的脑袋开始渐渐隐没。等行刑士兵把公爵夫人带回来的时候，猫脑袋已经完全消失了。国王和行刑士兵四下里乱寻，而其他的人又回去打球了。

第九章　假海龟的故事

"亲爱的老伙计，又见着你了，你都想不到我有多么高兴！"公爵夫人亲热地挽着爱丽丝的胳膊说，两人一起走了。

爱丽丝看见公爵夫人这么和蔼可亲，觉得挺高兴的，心想上次在厨房里遇见时她那么蛮横无理，也许是吸了胡椒味儿的缘故。

"等我当了公爵夫人，"她暗自说（语气弱弱地），"我不准厨房里有胡椒。没有胡椒，汤照样很好喝——有些人脾气暴躁，说不定就是胡椒引起的。"找出了这么一个新规律，她心里挺得意的，就接着往下说："醋会使他们变得酸溜溜的，苦瓜会使他们的脸变成苦瓜脸——还有——还有麦芽糖什么的，会让孩子们变得笑容甜甜的。但愿大家都能明白这一点，那样他们发起糖来就不会那么小气了，你要知道——"

这时她差不多全然忘了公爵夫人，所以听见耳边响起公爵夫人的声音，她稍稍吃了一惊。"你走神了，亲爱的，所以忘记说话了。从中可以引出怎样的教育意义，我现在一下子说不上来，但马上就会想起来的。”

“也许其中并没有什么教育意义。”爱丽丝壮着胆子说。

“啧，啧，你这孩子！”公爵夫人说，“任何事情都有教育意义，问题在于你要能够找到它。”她一边说，一边使劲往爱丽丝身上挤。

爱丽丝不喜欢她跟自己贴得这么紧。首先，因为公爵夫人长得非常丑；其次，因为以公爵夫人的身高，她正好可以把下巴搁在爱丽丝的肩膀上，这个尖下巴让爱丽丝觉得很难受。不过，她不想失礼，所以尽量忍着。

“球赛这会儿像样点儿了。”她怕谈话冷场，就找了句话说。

“是这样，”公爵夫人说，“其中的教育意义是——‘只要人人都献出一点爱，世界会转得更快！’”

“有人说，”爱丽丝轻轻地说，“只要每个人管好自己的事，世界就会转得更快！”

“啊，没错！其实意思是一样的，”公爵夫人说着，尖尖的下巴在爱丽丝的肩上使劲往下压，“这给我们的教益是——‘管好你的嘴，就能迈开腿。’”

“她可真喜欢找教育意义！”爱丽丝暗自思忖。

“我想你一准在纳闷，我为什么不搂住你的腰呢？”停顿片刻，公爵夫人开口说，“原因呢，是我吃不准你的火烈鸟脾气坏不坏。我要不要试一试?”

“让它咬上一口,你会觉得火辣辣的。”爱丽丝小心翼翼地说,心里一点也不希望她试一试。

“说得很对,”公爵夫人说,“火烈鸟和芥末都让人火辣辣的。由此可见——‘鸟以辣聚’。”

“可是芥末不是鸟啊。”爱丽丝说。

“是的,说得没错,”公爵夫人说,“你的思路很清楚!”

“它好像是矿物。”爱丽丝说。

“当然啰,”公爵夫人说,看来爱丽丝无论怎么说,她都会表示同意,“附近有个很大的芥末矿。我们得到的教益是——‘纸上无框,心中有框。’①”

“哦,我知道了!”爱丽丝喊道,她根本没听到公爵夫人最后那句话,“它是一种植物,虽说不大像,但它是植物。”

“我完全同意你的意见,”公爵夫人说,“这给我们的教益是——‘别人觉得你是什么样的人,你就做什么样的人。’——或者,如果你喜欢用比较简单的方式来表达,也可以说——‘别以为你一定不是别人可能以为你是的人,你曾经或者曾经可能是的人在他们看来也许是另一

① 用“矿”和“框”的谐音做文字游戏。

个人。'"

"我想，如果我把它写下来，"爱丽丝非常有礼貌地说，"我大概会明白一些。光听你说，我听不大懂。"

"我高兴的话，还能说得更长呢，这点算不了什么。"公爵夫人乐滋滋地回答。

"请别再费神说更长的句子了。"爱丽丝说。

"哦，说不上费神！"公爵夫人说，"我把刚才说过的每句话，都作为礼物送给你。"

"这礼物倒挺省钱的！"爱丽丝想，"幸好大人没送我这样的生日礼物！"不过她没敢大声说出来。

"又在想什么了？"公爵夫人问，尖下巴又狠狠地压了一下。

"我有想的权利。"爱丽丝不客气地回答，她已经觉得有点烦了。

"就像猪有飞的权利[①]，"公爵夫人说，"其中的教——"

可是这时，让爱丽丝大为惊异的是，公爵夫人居然没来得及说出她老爱挂在嘴边的"教益"两个字，就突然停住，挽住爱丽丝的那条胳膊颤抖了起来。爱丽丝抬起头来，看见王后叉着双臂站在她俩跟前，紧锁的眉头间像藏着雷暴。

---

① 苏格兰有句谚语："猪要飞尽可以飞，但是不大可能。"（Pigs may fly, but it's not likely.）

“今儿天气挺好，陛下！”公爵夫人轻声轻气地开口说。

“听着，我毫不含糊地警告你，”王后跺着脚大喊，“不是你滚蛋，就是你的脑袋搬家，立刻，马上！你自己选！”

公爵夫人选了滚蛋，一溜烟地跑掉了。

“我们继续打球。”王后对爱丽丝说。爱丽丝吓得说不出话来，慢吞吞地跟着她回到槌球场。

其他客人趁王后不在，都在阴凉的地方休息。王后回到场上，就说了一句“谁敢再耽误一分钟，就要他的命”，大家赶紧四散跑开重新比赛。

他们去打球时，王后一直在和别的球员吵架，嘴里不停地喊：“砍掉他的脑袋！”“砍掉她的脑袋！”士兵们要把被判决的人押下场去，当然就当不成球门了，这样一来，大约半小时过后，场上连一个球门也没有了，所有参加比赛的人——除了国王、王后和爱丽丝之外——都被押下去等候处决了。

这时王后气喘吁吁地走下场来，问爱丽丝：“你见过假海龟吗？”

“没有，”爱丽丝说，“我都不知道什么叫假海龟。”

“烧假海龟汤的，用的不就是假海龟[①]吗？”王后说。

---

① 假海龟，原文为Mock Turtle。turtle统指海龟、甲鱼、玳瑁等龟壳动物。餐馆里有时用小牛肉代替海龟肉做汤，人称假海龟汤。所以，假海龟汤确实有，“假海龟”却是作者开玩笑杜撰的。

“可我从没见过，也没听说过。”爱丽丝说。

“你过来，”王后说，“去听他讲讲自己的故事吧。”

她俩一起离开时，爱丽丝听见国王低声对那些人说：“你们都被赦免了。”“哦，这可是好事儿！”爱丽丝心想，刚才王后下令处决那么多人，她感到非常难受。

刚走没几步，她们就遇见了一只晒太阳晒得呼呼大睡的狮身鹰首兽。“起来，懒家伙！”王后说，“带这位小姐去看看假海龟，听听他的故事。我得回去监督刚才的判决执行到位。”说完她就走了，留下爱丽丝单独和狮身鹰首兽在一起。爱丽丝不大喜欢这家伙的模样，不过总的来说，她觉得跟他待在一起，不见得比跟那个野蛮的王后待在一起更危险，所以她就等着没动。

狮身鹰首兽坐起身来，揉揉眼睛，看着王后越走越远，直至看不见。然后他咯咯笑了起来。"真好笑！"他这么说，一半是说给自己听，一半是说给爱丽丝听。

"谁好笑？"爱丽丝问。

"还能有谁？她呗！"狮身鹰首兽说，"她全是在自说自话。你知道吗，他们从来没真的处决过一个人。你过来！"

"这儿的人都喜欢说'你过来'。"爱丽丝一边慢吞吞地跟着他往前走，一边暗自思忖，"我长这么大，以前还从来没人把我唤来唤去呢，从来没有！"

没走多远，就远远望见假海龟孤独而忧伤地坐在一块小岩礁上。再走近些，爱丽丝听见他在长吁短叹，仿佛心中万分悲苦似的。她对他感到非常同情。"他有什么伤心事呀？"她问狮身鹰首兽。狮身鹰首兽回答的话，跟先前的话很相似："他这是自说自话。你知道吗，他根本没有什么伤心事。你过来！"

他们走到假海龟跟前，假海龟睁着噙满泪水的两只大眼睛瞧着他俩，可是没说话。

"这位小姐，"狮身鹰首兽说，"想听你的故事，就这样。"

"我来讲给她听，"假海龟声音低沉地说，"二位请坐，我讲完以前，请别说话。"

于是他俩坐下，有好几分钟，三人谁也没有说话。爱丽丝心想："他老不开始讲，怎么能讲得完呢？"但她还是耐心地等着。

"从前，"假海龟长长地叹了一口气，终于开口说了，"我是个真海龟。"

接下去又是长时间的沉默，只有狮身鹰首兽偶尔"哦咿！"地叫上一声，假海龟则不断发出粗重的抽噎声。爱丽丝差点儿想站起来说："先生，你给我们讲了个有趣的故事，谢谢啦。"但又忍不住要想，后面一定还有故事呢，所以她就这么坐着，没说话。

"小时候，"假海龟终于往下说了，虽然不时还是要抽噎几下，但是情绪已经平静下来，"我们的学校在海里。校长是一个老海龟——我们平时都管他叫老鳖——"

"你们为什么叫他老鳖呢？"爱丽丝问。

"我们叫他老鳖，是因为他老逼着我们做功课①，"假海龟生气地说，"你真笨！"

"你问出这么简单的问题，真该感到害臊。"狮身鹰首兽接口说。然后他和假海龟静坐着不吱声，瞧着可怜的爱丽丝。她恨不得有条缝钻到地底下去。最后狮身鹰首兽对假海龟说："接着讲吧，老伙计！别把时间

---

① "鳖"和"逼"读音相近。原文中，此处用Tortoise（乌龟）和taught us（教我们）的谐音玩了个很妙的文字游戏。

耗在这上面!”假海龟便接着说:“是的,我们的学校在海里,尽管你也许不信——”

“我没说过我不信!”爱丽丝打断他的话说。

“你说过。”假海龟说。

“闭嘴!”狮身鹰首兽没等爱丽丝申辩,先对她呵斥说。假海龟继续往下讲。

“我们接受的是最好的教育——这不,我们每天去上学——”

“我上的也是全日制小学,”爱丽丝说,“这你没什么好夸耀的。”

“另外有什么吗?”假海龟问,神情有点紧张。

“有啊,”爱丽丝说,“我们学法语和音乐。”

“洗衣呢?”假海龟问。

“当然没有!”爱丽丝有点恼火地说。

“啊!那你们的学校就算不上真正的好学校喽,”假海龟大大地松了一口气说,“你听好了,在我们的学校,在账单下面会写清楚:‘法语,音乐,洗衣——另外支付。’[①]”

“你们住在海底,”爱丽丝说,“学了洗衣也没什么用。”

“我付不起这个费用,”假海龟叹着气说,“我只选读了常规课程。”

---

① 当时英国寄宿学校在给学生的账单上,常会在课程收费外,另行注明洗衣服的费用。

“有些什么课呢?”爱丽丝问。

“起先当然是笃酥和卸渍,”假海龟回答,“然后就是涮术,里面还要分——夹、搛、沉、杵。”[①]

“杵我不懂,”爱丽丝爹着胆子说,“这是什么意思?”

狮身鹰首兽惊奇地举起两只前爪嚷道:“杵在那儿,就是傻待在那儿,难道这你也不懂?”

“傻待我懂,”爱丽丝犹犹豫豫地说,“傻待就是——就是——老待在一个地方——不动。”

“这不就结了,”狮身鹰首兽说,“如果你连这也不懂,你就是个傻瓜。”

爱丽丝不敢再就这事儿问什么问题了,她转过脸去问假海龟:“别的你们还学些什么呢?”

“哦,有梨丝,”假海龟扳着前鳍数着,“梨丝,又分古代的和现代的,当然还有地梨。然后是花花儿。花花儿教师是个老海鳗,一星期来一次,他教我们花花儿、素苗和油花。”[②]

“都是甜食吗?”爱丽丝问。

“那还用问!”狮身鹰首兽说,“我听的是文科老师的课。他是个老

---

① 作者的文字游戏。假海龟想说的是:读书和写字,算术,加、减、乘、除。

② 他想说的其实是:历史、地理、画画儿、素描和油画。

螃蟹，就这样。”

“我没去上过他的课，”假海龟叹了一口气说，“那时就听说，他教的是辣丁鱼和细辣鱼。”①

“就是啊，就是啊。”狮身鹰首兽说着，也叹起气来。他和假海龟把脸埋进了爪子和前鳍里。

“你们每天上几小时课？”爱丽丝问，她想尽快换个话题。

“第一天十小时，”假海龟说，“第二天九小时，以此类推。”

“这个课程计划好奇怪啊！”爱丽丝惊讶地大声说。

“所以才叫课程，”狮身鹰首兽接口说，“课程课程，不就是扣成吗？”

这个解释，爱丽丝觉得太新奇了。她想了一会儿，才又说道：“那么，第十一天就要放假了？”

“那当然咯。”假海龟说。

“那么第十二天怎么办呢？”爱丽丝急切地问。

“课程说这些就够了，”狮身鹰首兽果决地截住话头，“现在给她讲讲游戏吧。”

---

① 他想说的是拉丁语和希腊语。

第十章　龙虾方阵舞

假海龟长长地叹了一口气，用鳍背抹了下眼睛。他望着爱丽丝想说话，但有一两分钟哽咽得发不出声音来。“他的喉咙里像是有骨头卡住似的。”狮身鹰首兽说着，走过去摇晃假海龟的身子，给他捶背。假海龟总算恢复了嗓音，接着往下讲：“你可能没怎么在海底生活过——（“我没去过。”爱丽丝说。）——也许你从来没有机会结识龙虾——（爱丽丝刚说了“我有一次吃过——”，马上打住，改口说“从来没有”。）——所以你不会知道跳龙虾方阵舞有多开心！”

“确实不知道，”爱丽丝说，“那是一种什么样的舞呢？”

“嘿，”狮身鹰首兽说，“大家先在海滩上站成一排——”

“两排！”假海龟大声说，“海豹、海龟、三文鱼啊什么的，都站成两排。然后，先把碍事的水母清扫干净——”

“这事通常要花一点时间。”狮身鹰首兽插嘴说。

“——再往前跨两步——”

“每人挑一只龙虾做舞伴！”狮身鹰首兽大声说。

“那当然，”假海龟说，“你往前跨两步，和舞伴站定——”

“——再交换舞伴，照同样的顺序退回原地。”狮身鹰首兽抢着说。

“然后，你听着，”假海龟接着说，“你抡起——”

“抡起龙虾！”狮身鹰首兽大喊一声，身子蹿到半空。

“——扔到海里去，能扔多远就扔多远——”

“你跟着往前游！”狮身鹰首兽尖声叫道。

“在海里翻筋斗！”假海龟一边嚷，一边乱蹦乱跳。

“再交换龙虾！”狮身鹰首兽扯着嗓子叫喊。

“然后回到岸边——第一段到此结束。”假海龟说，声音突然低了下来。他俩刚才还像发疯似的上蹿下跳，这会儿神情忧郁，静静地坐下瞅着爱丽丝。

“这样跳舞一定很好看吧？”爱丽丝怯生生地问。

“你想看上一眼吗？”假海龟问。

“真的很想呢。”爱丽丝说。

“来吧，咱俩把第一段跳一遍！”假海龟对狮身鹰首兽说，“没有龙虾咱们也能跳。谁来唱歌？”

“哦，你来唱吧，”狮身鹰首兽说，“歌词我忘了。”

于是他俩在爱丽丝身旁转着圈，一本正经地跳起舞来，有时跳着跳着，还会踩到她的脚。他们挥动前鳍和前爪打着拍子，假海龟缓慢而忧伤地唱起了下面的歌：

"你能走得快点吗？"白[illegible]鱼对着蜗牛发话，
"后面有条圆鲉，踩住了我的尾巴。
你看龙虾和海龟跑得多轻巧！
他们等在海滩上——你也来跳好不好？
你也来，好不好，你也来，好不好，你也来跳好不好？
你也来，好不好，你也来，好不好，你来跳舞好不好？"

"你真的没法体会，那样做实在很痛快，
他们拎起我们，连同龙虾一起扔进海！"
蜗牛乜了他一眼，回答说："太远了，我会哭！"
白鲩好意他心领，但他不愿一起去跳舞。
他不愿，他不能，他不愿，他不能，他不愿去跳舞。
他不愿，他不能，他不愿，他不能，他不能去跳舞。

"扔得远些又何妨？"白鲩朋友把他劝，

“你也不会不知道，对面照样有海岸，
离英国远些，就离法国近些——
亲爱的蜗牛。你何必这么胆怯？
你也来，好不好，你也来，好不好，你也来跳好不好？
你也来，好不好，你也来，好不好，你来跳舞好不好？”

“谢谢，这个舞看起来非常有趣，”爱丽丝暗自庆幸它终于结束了，“我挺喜欢这首关于白鱿鱼的奇怪的歌。”

“哦，要说白鱿鱼嘛，”假海龟说，“他们——你肯定见过他们，对吗？”

“对的，”爱丽丝说，“我常常在吃晚——”她发觉说漏了嘴，赶紧打住。

“我不知道赤湾在哪儿，”假海龟说，“不过，既然你常常见到他们，你当然知道他们长什么样咯。”

“我想是的，”爱丽丝边想边说，“他们的尾巴衔在嘴里——全身裹着面包屑。”

“面包屑你说错了，”假海龟说，“进了海里，面包屑就都洗掉了。不过他们倒真是把尾巴衔在嘴里，原因嘛——”说到这儿，假海龟打了个哈欠，闭上眼睛。“把原因什么的全都告诉她。”他对狮身鹰首兽说。

"原因就是，"狮身鹰首兽说，"这些白鱿鱼要跟龙虾一起去跳舞。所以他们被扔进海里。所以他们得掉得很远。所以他们把尾巴塞在嘴里。所以他们没法再把尾巴拿出来。我一五一十都说清楚了。"

"谢谢，"爱丽丝说，"这很有趣。我从没听说过这么多有关白鱿鱼的事儿。"

"如果你愿意听，我还可以给你讲一些，"狮身鹰首兽说，"你知道他为什么叫白鱿吗？"

"这问题我从没想过，"爱丽丝说，"为什么？"

"他擦亮靴子和鞋子。"狮身鹰首兽一本正经地回答说。

爱丽丝整个人都蒙了。"擦亮靴子和鞋子？"她迷惑不解地重复一遍。

"嗯哼，你的鞋子是用什么擦的？"狮身鹰首兽说，"我是说，把它们擦得这么亮的，是什么东西呢？"

爱丽丝看了看脚上的鞋子，想了想说："我想，是黑鞋油吧。"

"白鱿白鱿，不就是白油吗！海里的靴子和鞋子，"狮身鹰首兽接着深沉地说，"都是用白鱿擦的。现在你明白了吧。"①

"那么，靴子和鞋子是用什么做的呢？"爱丽丝非常好奇地问。

---

① 原文中whiting一词，既可以是"牙鳕"，也有"擦白"的意思。译文换用"白鱿"和"白油"的谐音，以期表达类似的趣味。

“那还用说！鞋背用赤贝，鞋帮用旁皮鱼呗，”狮身鹰首兽不耐烦地回答说，“这连小虾都知道。”①

“如果我是那条白鱿，”爱丽丝说，她还在想着那首歌，“我就要对圆鲉说：‘请你往后退！我们不想带着你！’”

“不带不行啊，”假海龟说，“一条有点儿头脑的鱼，到哪儿都得有个圆鲉。”

“真的假的？”爱丽丝大为惊奇地问。

“当然真的，”假海龟说，“喏，假如有条鱼来找我，对我说他要去做一件事情，我就会问：‘有什么圆鲉？’”

“你是要说‘缘由’吧？”

“我要说的就是我说的。”假海龟有些生气地回答。狮身鹰首兽接口说：“你过来，给我们讲讲你遇到哪些好玩的事儿啦。”

“我可以给你们讲讲——就从今天早晨讲起，”爱丽丝有点羞怯地说，“昨天的事儿就不用讲了，因为我那会儿完全是另外一个人。”

“这都得解释清楚。”假海龟说。

“不用，不用！就先讲遇到的事儿，”狮身鹰首兽不耐烦地说，“解释太花时间了。”

---

① 赤贝，取其中“贝”字与“背”字的谐音效果，原文中的soles and eels（比目鱼和鳗鱼）与soles and heels（鞋底和鞋帮）之间的谐音，不用说要自然得多。

爱丽丝就从她第一次见到白兔开始讲起。一开始她有点胆怯，因为那两个家伙一左一右，跟她挨得那么近，眼睛和嘴巴张得老大。但讲着讲着，她胆子壮了起来。那两个听众始终非常安静地听着她讲，直到她讲到她在毛毛虫面前背诵《你老了，威廉老爸》，结果词全都不一样了的时候，假海龟才深深吸了口气说："这可真奇怪！"

"没有比这更奇怪的了。"狮身鹰首兽说。

"词全都不一样了！"假海龟沉思着说，"我想让她现在试试看，背一首什么东西。叫她开始吧。"他看着狮身鹰首兽说，仿佛认定狮身鹰首兽对爱丽丝有发号施令的权力似的。

"站起来背一下《这是懒汉的声音》。"狮身鹰首兽说。

"这家伙喜欢使唤人，还让人背课文！"爱丽丝心想，"那我还不如去学校呢。"不过，她还是站了起来，开始背这首诗，但她脑子里还尽是龙虾方阵舞，几乎不知道自己到底在说些什么。结果，背出来的诗怪怪的：

这是龙虾的声音；我听见他在发宏论：

“你们把我烤得又焦又黄，我得扑点糖粉。”

好比鸭子翻眼睑，他做事靠把鼻子甩，

能系腰带能扣纽扣，还能让脚趾往外歪。

只要海滩干干的，他就快活得像云雀，

说起鲨鱼，他口气傲慢、大大咧咧。

可是一到涨潮，鲨鱼来的时候，

他马上就胆战心惊、声音发抖。

“这跟我小时候说的不一样。”狮身鹰首兽说。

“哦，我从没听过这首诗，”假海龟说，“它听上去很无厘头。”

爱丽丝没说什么。她坐下来用手蒙着脸，心想不知道事情还能不能恢复到正常的样子。

“我要听到事情的解释。”假海龟说。

“她解释不了，”狮身鹰首兽赶紧说，“背下一首吧。”

“那脚趾是怎么回事？”假海龟不依不饶，“他用鼻子怎么能让脚趾往外歪呢？你说说看。”

“这是跳舞的第一式。”爱丽丝说。可是整个事情把她弄得稀里糊涂的，她只想能换个话题。

"背下一首,"狮身鹰首兽又说了一遍,"开头是'我走过他的花园'。"

爱丽丝不敢不背,尽管她觉得自己肯定会背得很糟。她声音发颤地背了起来:

我走过他的花园,用一只眼睛瞅见
有个馅饼摆在猫头鹰和黑豹面前。
谁知馅饼连皮带肉都归了黑豹,
就剩盆子算是给猫头鹰的犒劳。
馅饼吃完以后,猫头鹰颇为脱俗,
把匙子放进口袋作为礼物。
黑豹一声咆哮,刀叉都往自己跟前放,
宴会到此也就匆匆收——

"老是背这些东西有什么用?"假海龟打断她说,"至少你该一边背一边解释。我从没听过这样乱七八糟的东西!"

"是的,我看你还是别背了吧。"狮身鹰首兽说,这正中爱丽丝的下怀。

"我们再跳一段龙虾方阵舞怎么样?"狮身鹰首兽接着说,"要不就

让假海龟再给你唱首歌?"

"哦,请假海龟赏脸唱首歌吧。"爱丽丝说。她的语气过于急切,惹得狮身鹰首兽很不高兴地回了一句:"没办法!这就叫各有所好吧!那就给她唱首《海龟汤》,怎么样,老伙计?"

假海龟长叹一声,抽抽噎噎地唱了起来:

靓汤靓汤,就像碧玉,
盛在热乎乎的盖碗里!
它的诱惑有谁能抵挡?
晚餐的汤,好靓的汤!
晚餐的汤,好靓的汤!
　　好——靓——的汤!
　　好——靓——的汤!
晚——餐——的汤。
　　好靓好靓的汤!

有了靓汤,谁还稀罕鱼啊,
野味啊,别的什么珍馐啊。
只消花上区区两便士,

你们说这靓汤值不值?

好——靓——的汤!

好——靓——的汤!

晚——餐——的汤。

好靓——好靓——的汤!

“叠句部分再来一遍!”狮身鹰首兽大声说。假海龟刚开口唱,只听得远处传来一声大喊:“开庭!”

“快走!”狮身鹰首兽拉起爱丽丝的手大声说,不等歌唱完急忙开跑。

“开的是什么庭呀?”爱丽丝边跑边气喘吁吁地问。狮身鹰首兽只回应了一声“快跑”,跑得更快了。身后微风带来的忧郁的歌声,显得越来越微弱:

晚——餐——的汤,

好靓——好靓的汤!

第十一章　谁偷了馅饼

他俩赶到时，红心国王和王后坐在各自的座位上，四周聚集着各种各样的小鸟小兽和整整一副扑克牌。杰克站在他们跟前，戴着镣铐，左右各有一个士兵看守。国王旁边就是白兔，他一手握着号角，一手握着一卷羊皮纸。法庭正中央，有一张桌子，上面摆着一大盆馅饼。馅饼看上去非常诱人，爱丽丝不由得感到肚子饿了起来——“希望他们快点把案子审了，”她想，“好给大家发点心！”不过这个希望眼看着没法实现，她只好东张西望打发时间。

她没有到过法庭，但看过的书上有时会写到法庭，所以她很高兴地发现，这儿差不多每样东西她都叫得出名字。“那是法官，”她对自己说，“因为他戴着很大的假发。”

顺便说一句，法官就是国王。他在假发上面还戴着王冠，所以看上去很别扭，当然也不好看。

“那是陪审席，”爱丽丝心想，“这十二个动物（你们要知道，她只能说‘动物’，因为其中有的是走兽，有的是鸟儿），我想他们是陪审员。”最后这三个字她在心里说了两三遍，感到很得意，因为她觉得——事实上也确实是这样——像她这个年龄的小姑娘，是很少有人懂得这几个字的意思的。不过，说“陪审团成员”也是可以的。

这十二个陪审员都忙着在石板上写字。“他们在干什么呢？”爱丽丝轻声问狮身鹰首兽，“审判还没开始，他们没什么东西要记录呀。”

“他们在写自己的名字，”狮身鹰首兽低声回答，“生怕审判还没结束，他们就把名字给忘了。”

“一批蠢货！”爱丽丝愤愤然地大声说，但随即马上打住，因为白兔在高声说：“全场肃静！”国王也戴上眼镜在焦急地张望，想看看是谁在说话。

爱丽丝仿佛就在陪审员背后一样，能够看到他们正在石板上写“一批蠢货”，甚至能够看到其中有个陪审员不会写“蠢”字，在请邻座告诉他怎么写。“不用等审判结束，他们的石板就会涂得乱七八糟了！”爱丽丝心想。

有一个陪审员手里的笔老是吱吱作响。对此，爱丽丝当然无法忍

受，她绕到法庭那边，站在那个陪审员后面，很快就逮住一个机会把笔拿走了。她动作很快，那个可怜的小陪审员（原来他是蜥蜴比尔）根本弄不明白出了什么事儿，找了一通没找到，就只能在剩下的时间里用手指来写，不过这其实不顶用，因为手指在石板上根本写不出字。

“传令官，宣读诉状！”国王说。

白兔得令，先吹了三声号角，然后打开羊皮纸卷念道：

红心王后在一个夏日
　　做了一些馅饼。
红心杰克实在太贪吃，
　　偷了这些馅饼！

“请考虑做出裁决。”国王对陪审员们说。

“且慢，且慢！”白兔赶紧说，“在裁决前还有好些程序呢！”

“传第一个证人到庭。”国王说。白兔吹了三下号角，大声喊道：“传第一个证人！”

第一个证人是那个帽匠。他上庭时，一手端着茶杯，一手拿着一块涂好黄油的面包。“对不起，陛下，”他开口说，“我把这些东西都带来了。传唤我的时候，我正喝茶来着。”

“你该早点吃完的，”国王说，“什么时候开始吃的？”

帽匠看看三月兔，三月兔是牵着睡鼠的手跟在帽匠后面一起上法庭的。“好像是三月十四号吧。”帽匠说。

“十五号。”三月兔说。

“十六号。”睡鼠说。

“记录在案。”国王对陪审员说。陪审员们急忙把这三个日期写在各自的石板上，然后把它们加起来，再转换成先令和便士。

“把你的帽子脱掉。”国王对帽匠说。

“帽子不是我的。”帽匠说。

“偷来的！”国王大声说，朝陪审团转过脸去，陪审员们马上把这句话记录在案。

“帽子都是要卖掉的，”帽匠辩解说，“我自己没有帽子。我是个帽匠。”

这时王后戴上眼镜，狠狠地盯着帽匠看，帽匠被她看得脸色发白、手足无措。

“请提供证词，”国王说，“别这么晃来晃去，不然我判你当场被处决。”

证人还是神经质地晃来晃去。他不停地倒着脚，神情不安地看着王后，慌乱中把茶杯当成黄油面包，咬下来一大口。

就在这时，爱丽丝有一种非常奇怪的感觉，起先她只觉得困惑，弄不清楚是怎么回事，后来才明白了。原来她又在长高长大了，她的第一个念头是马上立起身来离开法庭，但转念一想，还是先待在这儿不要动，反正现在她还有地方可以待得下。

“拜托，请你别这么挤我好吗，”坐在她旁边的睡鼠说，“我气都透不过来了。”

“我也是没办法，”爱丽丝怯生生地说，“我在长身体。”

“你没有权利在这儿长身体。”睡鼠说。

“别胡说八道，”爱丽丝奓着胆子说，“你要知道，你也在长身体。”

"没错，可是我是按正常速度在长，"睡鼠说，"不像你，简直是荒唐。"他板着脸，立起身来走到法庭另一边去。

刚才这段时间里，王后一直在盯着帽匠看。就在睡鼠穿过法庭的当口，她对一个庭警说："把上次音乐会的歌手名单拿来！"一听这话，那可怜的帽匠浑身发抖，抖得两只鞋子都掉了下来。

"请提供证词，"国王生气地重说一遍，"否则我判你当场被处决，不管你晃还是不晃。"

"我是个穷人，陛下，"帽匠声音颤抖地说，"我刚要喝茶——有一个星期没喝了吧——想不到黄油面包变得这么薄——茶和苦是一样的头——①"

"什么一样的头？"国王问。

"都是草字头。"帽匠回答说。

"它们当然都是草字头！"国王厉声喝道，"难道你以为我是傻瓜吗？往下说！"

"我是个穷人，"帽匠接着说，"从那以后，好些东西都挺苦——可是三月兔说——"

"我什么也没说过！"三月兔心急火燎地打断他说。

---

① 原文此处为the twinkling of the tea。twinkling（闪烁；亮晶晶）的首字母t，与tea（茶）谐音。所以原文中接下去国王说"亮晶晶当然是茶开头的"。此中意趣，扣住字面翻译难以传达。

“你说过！”帽匠说。

“我否认！”三月兔说。

“他否认，”国王说，“这一内容不予记录。”

“好吧，反正睡鼠说过——”帽匠接着说，担心地向四周张望，要看看睡鼠会不会也否认。睡鼠倒什么也没否认，他睡着了。

“从那以后，”帽匠往下说，“我又切了一点黄油面包——”

“可是刚才睡鼠说什么了？”一个陪审员问。

“我记不起来了。”帽匠说。

“你必须记起来，”国王说，“否则我下令处决你。”

可怜的帽匠手里的茶杯和黄油面包都掉在了地上，他单膝跪下说：“我是个穷人，陛下。”

“你说话是有股穷酸气。”国王说。

这时一只豚鼠喝彩叫好，但马上被庭警弹压下去了。（“弹压”这个词比较难懂，我给你们解释一下是怎么回事。庭警有一个很大的帆布袋，他把豚鼠头朝下塞进帆布袋，用绳子扎紧袋口，然后坐在上面。）

“我很高兴亲眼看见了这是怎么回事，”爱丽丝心想，“我常常在报纸上看到，审讯结束时，‘有人企图鼓掌，立即遭到庭警弹压’，以前我一直不明白这是什么意思。”

“如果你知道的情况就是这些,你可以下去了。”国王继续说。

“我没法再往下了,”帽匠说,“这不,我已经在地板上了。”

“那你可以坐下。”国王说。

这时另一只豚鼠喝彩叫好,又被弹压了。

“好啊,这下豚鼠全完蛋了!”爱丽丝想,“庭审可以顺利进行了。”

“我想去把下午茶喝完。”帽匠担心地瞧着王后说。王后正在看歌手的名单。

“你可以走了。”国王说。帽匠连鞋子都顾不上穿,急匆匆地离开了法庭。

“——到外面砍掉他的脑袋!”王后对一个庭警下令说。可是那个庭警还没走到门口,帽匠已经跑得不见踪影了。

“传下一个证人!”国王说。

下一个证人是公爵夫人的厨娘。她手里拿着胡椒盒,其实她还没走上法庭,爱丽丝就猜到是她了,因为坐在门口的人都已经在打喷嚏了。

“请提供证词。”国王说。

“没有。”厨娘说。

国王焦急地瞧着白兔,白兔低声说:“陛下必须盘问这个证人。”

“好吧,如果必须问,我就一定问。”国王神情忧郁地说。他叉着双臂,皱起眉头瞅着厨娘,眉头越皱越紧,几乎连眼睛都看不见了,最后他用低沉的嗓音问道:“馅饼是用什么做的?”

“大多是胡椒呗。”厨娘说。

“糖浆。”她身后传来一个睡意很浓的声音。

“抓住那只睡鼠!”王后尖声叫道,“砍掉他的脑袋!把他逐出法庭!弹压他!使劲掐他,拔掉他的胡须!”

一时间法庭上下乱成一片,睡鼠总算被逐出了法庭。法庭恢复平静之时,厨娘却消失不见了。

“没关系!”国王说,看上去他大大地松了一口气,“传下一个证人。”

随即他低声对王后说:“我说,亲爱的,下一个证人由你来盘问吧。我的头都疼了!”

爱丽丝瞧着白兔笨手笨脚地翻看名单,满心好奇地想知道下一个证人会是谁。“要知道,他们的证据还不够充足。”她对自己说。没想到白兔用尖细的嗓音使劲读出的名字,居然会让她大吃一惊:“爱丽丝!”

第十二章　爱丽丝的证词

"到！"爱丽丝大声说，慌乱之中全然忘了自己在刚才几分钟里已经长得有多高大，她猛地一下子跳起身来，裙边掀翻了陪审席，所有的陪审员全都栽在了下面的听众头上。他们摊开四肢躺在那儿的模样，让爱丽丝想起了她上星期不小心打翻的一只金鱼缸。

"哦，真是对不起！"她十分惊慌地喊道，开始尽可能快地把他们一个一个捡起来，因为浮现在她脑子里的是那些金鱼，她依稀觉得，要是不立即把他们放回陪审席，他们是会死掉的。

"在陪审团成员——全体成员——回到他们的座位之前，"国王语气极为严肃地说，"审判无法继续进行。"在这么说的时候，他的目光始终严厉地注视着爱丽丝。

爱丽丝朝陪审席看去，发现她在匆忙中把蜥蜴比尔头往下放了，可怜的小家伙可怜兮兮地摇着尾巴，翻不过身来。她赶快把他拎出来，重

新摆正。“其实问题不大，”她对自己说，“我觉得无论哪头朝上，对庭审来说反正都一样。”

陪审员们从被颠覆的惊恐中稍稍恢复，石板和笔也都找到并还给他们以后，他们立即着手工作，勤勉地记下这次事件的经过，只有蜥蜴比尔除外。他似乎完全吓呆了，什么事也不做，张着嘴坐在那儿，兀自望着法庭的天花板。

“这件事你了解吗？”国王问爱丽丝。

“不了解。”爱丽丝说。

“不了解什么？”国王追问。

“什么都不了解。”爱丽丝说。

“这很重要。”国王转脸对着陪审团说。他们刚要在石板上记下这句话，白兔接茬说：“陛下的意思，当然是说不重要。”他的语气毕恭毕敬，但是说话的同时，对国王又是挤眼睛，又是做鬼脸。

“当然，不重要，我的意思是不重要，”国王赶紧说，然后嘴里低声嘀咕，“重要——不重要——不重要——重要——”仿佛要看看哪个说法更好听似的。

有几个陪审员记下了“重要”，有几个记下了“不重要”。爱丽丝离他们很近，所以能看清他们的石板。“这根本没关系。”她在心里想。

国王埋头在记事本上写了些什么，这会儿抬起头来喊了一声：“安静！”然后看着本子高声念道，“庭规第四十二条。凡身高超过一英里者，必须离开法庭。”

全场的目光都投向爱丽丝。

“我身高不到一英里。”爱丽丝说。

“到了。”国王说。

“差不多有两英里了。”王后接口说。

“哦，不管怎么样，我不会离开的，”爱丽丝说，“再说，这不是正式的规定。这是你刚刚想出来的。”

“这是最早写在书上的规定。”国王说。

“那它就应该是第一条。”爱丽丝说。

国王脸色转白，赶紧合上记事本。“请考虑做出裁决。”他声音发颤地低声对陪审团说。

“陛下，还有证据呢，”白兔急忙跳起身来说，“这张纸是刚捡到的。”

“上面写些什么？”王后问。

“我还没打开，”白兔说，“不过看上去是封信，是在押犯写给——写给某个人的。”

“这是肯定的，”国王说，“要不然就谁也不是收信人，那很不正常，你要知道。”

“是写给谁的呢？”一个陪审员问。

“没有写给谁，”白兔说，“其实，外面什么也没写。”他一边说一边把纸打开，然后接着说，“原来不是信，是一首诗。”

“是在押犯的笔迹吗？”另一个陪审员问。

“不是，”白兔说，“这是最奇怪的地方。”陪审员全都露出大惑不解的神色。

“他一定模仿了别人的笔迹。”国王说。陪审员又都脸露喜色。

“陛下，”杰克说，“我没有写过，他们也没法证明是我写的。结尾的地方没有签名。”

“要是你没有签名，”国王说，“事情对你更为不利。你一定是想搞什么名堂，否则你就会正大光明地签上名字了。”

听了这话，大家全都鼓掌。这是国王那天说的第一句真正聪明的话。

“不用说，这证明他有罪，”王后说，“所以，砍掉——”

“这根本证明不了什么！”爱丽丝说，“嘿，你们还不知道上面写些什么呢！”

“把它念出来。”国王说。

白兔戴上眼镜。“从哪儿开头念呢，陛下？”他问。

“从开头的地方开头，”国王很庄重地说，“一直念到结束的地方。然后就停。”

整个法庭一片寂静，白兔开始念下面的诗句：

他们告诉我你去找过她，
　　也曾向她寻我踪；
她证明我品行不差，
　　但说我不会游泳。

他给他们捎话我没走
　　（我们知道事情真是这样）；
倘若她当初起劲出头，
　　你如今会是什么样？

我给她一个，他们给他两个，
　　你给我们的比三个还多；
他们从他那儿转到你这儿，
　　尽管他们其实都曾属于我。

倘若我或她那时候
　　碰巧跟这事有牵连，

他让你给他们自由，
　　倒让我们想起当年。

依我看你早已坐蜡
　　(在她这次有病之前)，
成了他和我们，还有它
　　中间的障碍，尽讨人嫌。

千万不能让他知道
　　她最喜欢的是他们，
这个秘密很重要，
　　你知我知，不得告诉别人。

“到目前为止，这是我们听到过的最重要的证词，”国王搓着双手说，“所以，现在就让陪审团——”

“如果他们中间有谁能够解释一下这首诗，”爱丽丝说(刚才几分钟里她已经长得又高又大，这么打断国王的话，她一点儿也不感到害怕)，“我就给他六个便士。我不相信这里面有哪怕一丁点儿的意思。”

陪审员全都在石板上写:“她不相信这里面有哪怕一丁点儿的意思。”但是谁也不想出来解释一下这首诗。

“如果其中没有意思,”国王说,“那就省掉了好多麻烦,我们就不必再去找什么意思了。不过且慢,”他把这首诗摊在膝盖上,用一只眼睛看着它说,“我好像总算在这中间看出点意思来了。‘——说我不会游泳——’你不会游泳,是吗?”他转过头去问杰克。

杰克沮丧地摇摇头。“我像是会游泳的吗？”他说。（当然不像，因为他是硬纸做的。）

“那好，”国王说，他低声念着诗句，喃喃地说，“‘我们知道事情真是这样’——那当然是指陪审团——‘倘若她当初起劲出头’——那一定是指王后——‘你如今会是什么样？’——好一个什么样！——‘我给她一个，他们给他两个’——哈，这一定是指那些馅饼，你要知道——”

“可是下面还有‘他们从他那儿转到你这儿’呢。”爱丽丝说。

“哈，他们就在那儿！”国王得意地指着桌子上的馅饼说，“这事再清楚不过了。还有呢——‘在她这次有病之前’——亲爱的，我想你从来不曾有病过吧？”他对王后说。

“从来不曾！”王后怒气冲冲地说，抄起一只墨水瓶朝蜥蜴比尔扔去。（倒霉的小比尔刚才一直没在石板上写东西，因为手指根本写不出字来。这会儿墨水顺着脸往下淌，他正好可以蘸着往石板上写了。）

“那就是这句话有病。”国王笑吟吟地环顾四周说。整个法庭一片寂静。

“这是个双关语！我说它有病，是说它有语病！”[①]国王愠怒地大声

---

① 原文中的谐趣是由fit的一词多义引发的。Before she had this fit（在她这次发病之前）中，fit意为发病，而国王接下去说了一句the words don't fit you（这句话对你不合适），其中fit是“适合于”的意思。国王虽颟顸，这个文字游戏还是玩得不错的。译文为保留“有病”这个哏，把后面一句译成“那就是这句话有病”。

说，于是大家齐声大笑。"陪审团考虑做出裁定吧。"国王说，在这一天里这话他大概是第二十次说了。

"不行！"王后说，"先宣判——再裁决。"

"莫名其妙！"爱丽丝高声说，"哪有先宣判后裁决的道理！"

"你住嘴！"王后说，气得满脸通红。

"凭什么！"爱丽丝说。

"把她拉下去砍了！"王后声嘶力竭地喊道。但是谁也没动一下。

"谁在乎你们？"爱丽丝说（她这时已经恢复到以前的身量了），"你们只不过是一副纸牌罢了！"

话音刚落，整副纸牌腾空而起，从半空中朝她砸落下来。她半是惊吓半是愤怒地喊了一声，伸手想去挡住它们，却发现自己躺在河岸上，头枕在姐姐的膝上。姐姐正轻轻地拂去从树上飘落到她脸上的几片枯叶。

"爱丽丝，快醒醒，亲爱的！"姐姐说，"嘿，你这一觉睡得可真长！"

"哦，我做了一个好奇怪的梦！"爱丽丝说。于是她把自己能记得起来的奇遇（也就是你们刚才读到的这些奇遇）一五一十地讲给姐姐听。等她讲完了，姐姐吻了吻她说："亲爱的，这个梦真的很奇怪。可现在你得赶紧跑回家去吃茶点，要不就太晚了。"爱丽丝起身就跑，一边跑一边在想这真是个奇妙的梦。

姐姐仍然坐在原地，用手支着头，望着落日，想着小爱丽丝和她的奇遇，想着想着，她恍恍惚惚似乎也做起梦来了。她的梦是这样的：

首先，她梦见了小爱丽丝。那双小手抱紧她的膝头，明亮的眼睛热切地和她对视着——她依稀又听到了爱丽丝的声音，看见爱丽丝不想让飘散的头发落到眼睛上，往后甩一甩脑袋的可爱模样——而正当她在倾听，或者说仿佛在倾听之际，四周的一切都变了样，小妹妹梦境中奇妙的小动物鲜活地出现在她周围。

高高的青草在她脚下沙沙作响，白兔匆忙跑过——受惊的老鼠在旁边的池子里溅起水花往前游——她能听到三月兔和那两个朋友分享没完没了的茶点时杯子的碰撞声，还有王后吩咐砍下那些倒霉宾客的脑袋的尖厉的叫喊声——她又听到了猪囡在公爵夫人膝上打喷嚏，以及盆子碟子摔得粉碎的声音——还有狮身鹰首兽的尖叫声和蜥蜴比尔在石板上写字的吱吱声，以及被弹压的豚鼠的喘息声。所有这些声音都在她耳畔回响，中间还夹杂着从远处传来的假海龟的抽泣声。

于是，她闭着眼睛坐在那儿，依稀觉得自己也到了那个奇境，尽管她知道只要睁开眼睛，所有这一切就会变回乏味的现实——青草只不过是在风中沙沙作响，池子被摇曳的芦苇激起涟漪——茶杯的碰撞声会变成挂在羊脖子上的铃铛声，王后尖厉的叫喊声会变成牧童的吆喝声——孩子的喷嚏、狮身鹰首兽的尖叫，还有所有那些奇奇怪怪的声音，都会变

成（她知道）农庄场院里各种嘈杂的声响——远处哞哞的牛叫声则会取代假海龟低沉的抽泣声。

最后，她想象这个小妹妹将来有一天会长成一个真正的女人；即使成年以后，她仍然会保有这颗纯真的童心；她会把孩子们聚拢在身边，给他们讲一个个奇妙的故事，让他们的目光变得明亮而热切，甚至她也会讲当年这个梦游奇境的故事；而她在回忆童年生活和那些幸福夏日的同时，会感受到孩子们天真的忧愁，会在他们纯真的欢愉中找到乐趣。

经典译林

Yilin Classics

书名	单价	书名	单价
癌症楼	78.00 元	艾青诗集	35.00 元
爱的教育	39.00 元	爱丽丝漫游奇境	29.00 元
安娜·卡列尼娜	65.00 元	安徒生童话选集	42.00 元
傲慢与偏见	36.00 元	奥德赛	92.00 元
八十天环游地球	32.00 元	巴黎圣母院	42.00 元
白洋淀纪事	39.00 元	百万英镑	35.00 元
包法利夫人	38.00 元	悲惨世界（上、下）	98.00 元
背影	28.00 元	被侮辱与被损害的人	39.00 元
边城	36.00 元	变色龙：契诃夫中短篇小说集	39.00 元
变形记 城堡	38.00 元	草叶集：惠特曼诗选	39.00 元
茶馆	32.00 元	茶花女	35.00 元
查拉图斯特拉如是说	38.00 元	沉思录	29.00 元
城南旧事	29.00 元	大卫·科波菲尔（上、下）	79.00 元
当代英雄	45.00 元	稻草人	29.00 元
地心游记	32.00 元	飞鸟集·新月集：泰戈尔诗选	39.00 元
飞向太空港	39.00 元	福尔摩斯探案集	58.00 元
复活	42.00 元	傅雷家书	49.00 元
富兰克林自传	36.00 元	钢铁是怎样炼成的	39.00 元
高老头	39.00 元	格列佛游记	35.00 元
格林童话全集	49.00 元	给青年的十二封信	38.00 元

书名	单价	书名	单价
古希腊悲剧喜剧集（上、下）	118.00 元	海底两万里	38.00 元
红楼梦	69.00 元	红与黑	49.00 元
呼兰河传	35.00 元	呼啸山庄	39.00 元
基督山伯爵（上、下）	108.00 元	纪伯伦散文诗经典	42.00 元
寂静的春天	35.00 元	假如给我三天光明	32.00 元
简·爱	39.00 元	金银岛	35.00 元
经典常谈	29.00 元	荆棘鸟	45.00 元
静静的顿河	128.00 元	镜花缘	49.00 元
局外人·鼠疫	38.00 元	菊与刀	35.00 元
克雷洛夫寓言	32.00 元	宽容	32.00 元
昆虫记	39.00 元	老人与海	32.00 元
理想国	45.00 元	聊斋志异	55.00 元
了不起的盖茨比	38.00 元	列那狐的故事	39.00 元
猎人笔记	38.00 元	林肯传	39.00 元
鲁滨逊漂流记	39.00 元	鲁迅杂文选集	36.00 元
绿山墙的安妮	36.00 元	罗马神话	16.80 元
罗生门	39.00 元	骆驼祥子	32.00 元
美丽新世界	35.00 元	名人传	39.00 元
拿破仑传	49.00 元	呐喊	29.00 元
牛虻	38.00 元	欧·亨利短篇小说选	36.00 元
欧也妮·葛朗台	32.00 元	彷徨	32.00 元
培根随笔全集	38.00 元	飘（上、下）	88.00 元
普希金诗选	42.00 元	骑鹅旅行记	36.00 元
乞力马扎罗的雪	39.80 元	热爱生命·海狼	38.00 元

书名	单价	书名	单价
人间草木：汪曾祺散文精选	49.00 元	人类群星闪耀时	36.00 元
人性的弱点	39.00 元	日瓦戈医生	68.00 元
儒林外史	42.00 元	三个火枪手	59.00 元
三国演义	59.00 元	沙乡年鉴	42.00 元
莎士比亚喜剧悲剧集	49.00 元	少年维特的烦恼	28.00 元
神秘岛	48.00 元	神曲（共三册）	128.00 元
十日谈	68.00 元	世说新语（上、下）	89.00 元
双城记	45.00 元	水浒传	69.00 元
四世同堂（上、下）	78.00 元	宋词三百首	39.00 元
苔丝	39.00 元	谈美	35.00 元
谈美书简	36.00 元	汤姆·索亚历险记	32.00 元
汤姆叔叔的小屋	45.00 元	唐诗三百首	39.00 元
堂吉诃德	78.00 元	天方夜谭	42.00 元
童年	38.00 元	童年·在人间·我的大学	49.00 元
瓦尔登湖	36.00 元	我是猫	39.00 元
乌合之众	35.00 元	物种起源	42.00 元
雾都孤儿	44.00 元	西顿野生动物故事集	38.00 元
西游记	62.00 元	希腊古典神话	49.00 元
乡土中国	36.00 元	小妇人	45.00 元
小王子	29.00 元	星星离我们有多远	35.00 元
喧哗与骚动	58.00 元	雪国　古都	39.00 元
羊脂球	38.00 元	一九八四	36.00 元
一间自己的房间	36.00 元	伊利亚特	82.00 元
伊索寓言：555 则	36.00 元	尤利西斯	58.00 元

书名	单价	书名	单价
约翰·克利斯朵夫（上、下）	98.00 元	月亮和六便士	45.00 元
战争与和平（上、下）	108.00 元	朝花夕拾	22.00 元
中国民间故事	39.00 元	子夜	49.00 元
最后一课	36.00 元	罪与罚	66.00 元